通勤大学MBA 12

メンタルマネジメント

TPI-JAPAN INC.代表取締役社長
織田善行＝監修 グローバルタスクフォース(株)＝著
Yoshiyuki Oda GLOBAL TASKFORCE K.K.

JN236471

通勤大学文庫
STUDY WHILE COMMUTING
総合法令

まえがき

つい最近までは「頭の良いこと＝ＩＱが高いこと」が人生の成功要因であると考えられ、「一流の大学を出て、一流の会社に就職することが幸せな人生を送ること」という神話めいたものがありました。そのため、偏差値の高い一流の学校に入るという進学競争が繰り広げられたのです。ＭＢＡに関しても同様の神話があったのかもしれません。

しかし、現在そのような考え方をする人は過去と比べ少なくなりました。一流の学校を卒業しても、一流の会社に入っても、一流のＭＢＡを取得しても、必ずしも人生の成功者になっていない、というのが一般化したからです。だからといって成功者になるためには一流の学校、会社、ＭＢＡがマイナスか？　というとそうではありません。

重要なことは、成功のための十分条件には、他の要因がある、ということです。なぜ一流のＭＢＡを取得した経営知識が高く思考力も優れた人が成功しないのでしょうか？

結論から述べると、大きく（１）自己メンタルマネジメント能力と（２）対人メンタルマネジメントの欠如が原因と言われています。

自己メンタルマネジメント能力は、自分を正しく認識し、感情をコントロールすることで継続的に成果を出していくために必要なものであり、『実力はあるのに、本番では上手くいかない』場合や、実力者が陥りやすい『燃え尽き症候群』、『ウツ病』といった原因と関係の深い代表的な例といえるでしょう。

一方、対人メンタルマネジメント能力は、さらに2つに分けられ、①相手を正しく理解し、相手をモチベートしていくことで相手の成果を向上させることと、②相手を含めたチーム内の感情を正しく理解・コントロールすることで、自分の意見や提案を相手に受け入れさせ、スムーズに業務を遂行していく能力の2つに分けられます。

つまり、冒頭で述べた一流の大学やMBAを卒業しても成果を出せないのは、MBAの知識が足りないのでもなく、思考力が足りないのでもなく自分と相手の感情を上手くマネジメントしていく「メンタルマネジメント能力が低いから」といえます。

『EQ　こころの知能指数』（講談社）の著者としてEQという言葉を普及させ、その後のEQ論のきっかけをつくったアメリカのジャーナリストであるダニエル・ゴールマン流にいえば、「EQが低いからだ」と言うことができます。EQは心の知能指数と訳され、本書におけるメンタルマネジメントの体系は基本的にEQの概念を中心に定義されています。

それでは、現在はどのように人間の能力をとらえればよいのでしょう？　現在では、人間の能力はＩＱ×ＥＱであらわし、しかもＩＱの部分に20％、ＥＱの部分に80％のウェイトが置かれます。

このため、たとえＩＱが多少低くロジックが不足していてもメンタルマネジメント能力が高ければ、その人は能力を発揮して周囲の評価も高まるというわけです。しかし、ロジックが重要でないということではありません。精巧なロジックを持ちながら、合わせてメンタルマネジメント能力を高めていくことこそが本書の最も言いたいことです。

バブル崩壊後の10年間を「失われた10年」という言い方をしますが、その後もマクロ経済は回復することなく今日に至っています。その間、社会的には大きな変化が押し寄せてきています。学生だけでなく大人（社会人）の引きこもりの増加、離婚の増加、ウツ病の増加、自殺の増加。これらの現象に共通しているのは、自分自身に対する自信の喪失と同時に、他人との関係を上手く築けない人が増えてきたということです。バブルの形成と崩壊の過程の中で、高度成長をリードしてきた偏差値重視の考え方が相対的に後退し、代わって自分と相手の感情を適切に理解し、マネジメントしていくメンタルマネジメントの重要性がますます大きくなってきているといえます。

もともとメンタルマネジメントには、日本の社会では珍しくない概念もかなり含まれています。たとえば思いやり、自制、協力、調和を重んずる日本人の本質といえる価値感ばかりか、あうんの呼吸や暗黙裏の了解など、むしろ「日本的なもの」の真髄に通ずる部分があると言ってもいいかもしれません。見方によっては、「メンタルマネジメント」に注目しはじめた世界の変化は、世界の国々が日本社会の安定や落ち着きや成功を支えてきた中心的な要素に気づいた徴候ともいえるのかもしれません。

このような状況の中、もともと持ち合わせていた日本人の強さである感情のマネジメントを体系的に学び、日々の仕事で活かしていくことで、個人と組織それぞれの強さを引き出し、成果を安定的にだしていくようがんばりましょう。

本書の出版にあたり、監修をいただきましたティー・ピー・アイ・ジャパン（TPI JAPAN INC.）代表取締役の織田善行氏に感謝いたします。また総合法令出版の代表取締役仁部亨氏、竹下祐治氏、高麗輝章氏に感謝の意を表します。最後に、メンタルマネジメントとその重要性について大きな示唆をいただきました、ケロッグスクール（アメリカ・ノースウェスタン大学）MBA同窓生で、現早稲田大学ビジネススクール教授の梅津祐良氏に感謝いたします。

通勤大学MBA12

メンタルマネジメント

■目次■

【第2部】 自己メンタルマネジメント能力を高める

第2章 ポジティブシンキングの重要性

第3章　自己イメージの重要性

第4章　自尊心の重要性

第5章　目標設定と達成について

【第3部】 対人メンタルマネジメント能力を高める

第6章 相手のモチベーションを高める

第7章 コーチングで相手をガイドする

第1部

メンタルマネジメントの基本

第1部では、メンタルマネジメントの体系についてみていきます。

メンタルマネジメントがスキルの中のどのような位置づけであるのかを確認した後、なぜメンタルマネジメントが必要なのかということを説明します。

また、メンタルマネジメントの体系を見ていきます。

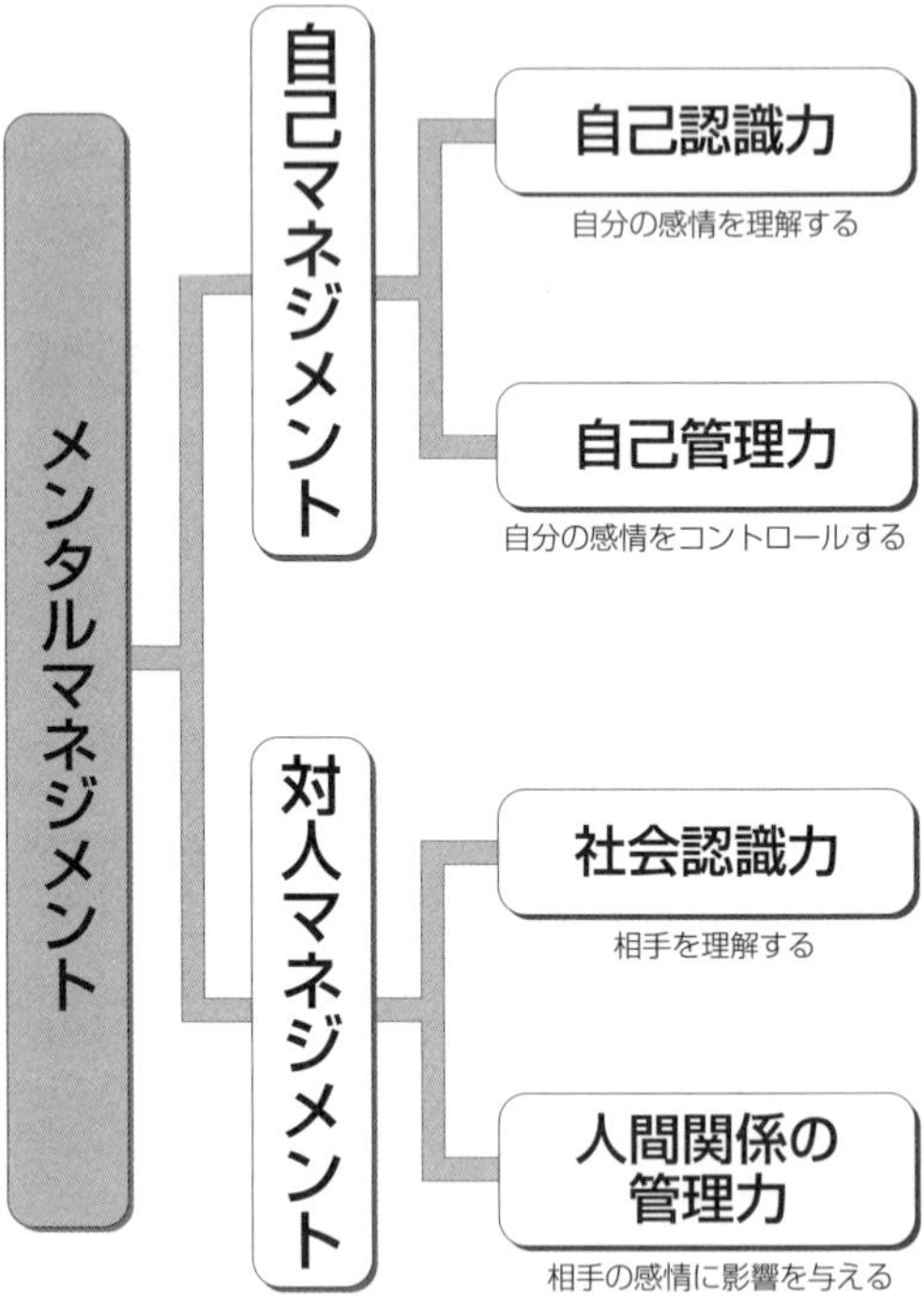
メンタルマネジメント
自己マネジメント
自己認識力
自分の感情を理解する
自己管理力
自分の感情をコントロールする
対人マネジメント
社会認識力
相手を理解する
人間関係の管理力
相手の感情に影響を与える

第1章
メンタルマネジメントとは

1-1 メンタルマネジメントの位置づけ

メンタルマネジメント能力はこれまで一般的にヒューマンスキル、ソフトスキルやコミニュケーションスキルといったレベルの異なる括りで捉えられてきた領域といえます。ハーバード大学のカッツ教授は、スキルをテクニカルスキル、コンセプチュアルスキル、ヒューマンスキルの3つにまとめましたが、本書で扱うメンタルマネジメントはカッツ教授の主張するヒューマンスキルの領域にあたります。

テクニカルスキルとはマーケティングやアカウンティングといったMBAの基本知識や商品等の専門知識にあたるものです。

コンセプチュアルスキルとは概念化思考とも呼ばれ、複雑なことを概念的にわかりやすいモデルとして提示することで、問題や物事の本質を見極めたり、問題解決の方法を追求をすることといえます。つまり、意思決定のための思考に重要な役割を果たす能力（IQ）であり、戦略思考やクリティカルシンキングなどは欠かせないものです。

メンタルマネジメントの領域

カッツ教授の分類	ゴールマンの分類	本書の分類
コンセプチュアルスキル	IQ	クリティカルシンキング
テクニカルスキル	（専門能力）	MBAの知識
ヒューマンスキル	EQ	メンタルマネジメント

成果＝思考＋知識＋α

そして本書で扱うメンタルマネジメントはこれらの２つのスキルだけでは補足できない、社会で成功するために必要なプラスαのスキル領域になります。

アメリカのダニエル・ゴールマンは『Emotional intelligence』に「Why it can matter more than IQ」（日本語訳『ＥＱこころの知能指数』講談社）という副題をつけて出版し、ベストセラーとなりました。

この中でゴールマンはＥＱという言葉を用い、この領域のスキルの重要性を主張しています。本書ではゴールマンの主張するＥＱの体系を用いてメンタルマネジメントを見ていきます。

1-2 なぜメンタルマネジメントが必要なのか

高いコンセプチュアルスキル（概念化思考などの思考力）と、テクニカルスキル（MBAなどの経営の基礎知識や、商品についての専門知識）のある人でも、社会で成功しているとは限りません。前述のとおり、上記2つのスキル領域は、成功するための必要条件ではあっても、十分条件には至らないからです。つまり、上記2つのスキル領域と合わせて、それらのスキルを実際に『実行する』ための能力が必要になるからです。いわば正しい答えや最善のプランを出すために必要なテクニカルスキル、コンセプチュアルスキルに対し、人の感情を理解し、その正しい答えやプランを円滑に実行するために必要なスキルがメンタルマネジメントを構成するスキルだといえます。

実際、人の心には感情があり、知識やロジックだけでは感情をコントロールできません。「頭ではわかっているけど心が納得しない」「あの人の言っていることは確かに正しいのだけど、なんとなく従いたくない」という状況は誰でも経験したことがあるでしょう。そ

成功の要因

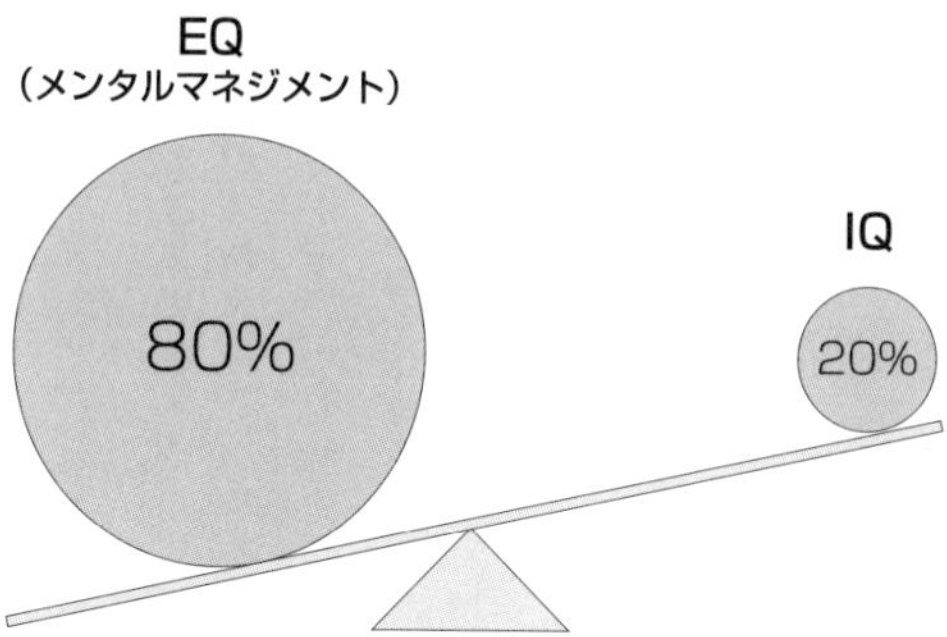

のためにメンタルマネジメント能力が必要になってくるのです。

メンタルマネジメントの必要性に関してはゴールマンも著書『Emotional intelligence』の中で主張しており、今後は「ＩＱではなくＥＱが重視されるようになる」と言っています。実際にアメリカではすでにいろいろな調査が実施されており、人生の成功とＩＱとの関係は必ずしも一致していない、むしろ一致しないことが多いと報告されています（正確に言えば、ＩＱ＋αのαの部分があって初めて一致するということです）。その結果、これまではコンセプチュアルスキルやテクニカルスキルが高いがゆえに重用されてきた人も、メンタルマネジメント能力が低いがゆえに重用されなくなることも出てくるというのです。ゴールマンは、「社会で成功するにはＩＱの要素はたかだか20％で、残り80％はＥＱの要素が必要だ」ともいっています。

このように、メンタルマネジメントの必要性が訴えられてきている背景には、言語と数学のロジカルな能力を中心にすえたコンセプチュアルスキルや、ＭＢＡなどの経営の知識を中心にすえたテクニカルスキルの概念だけでは、社会での成功を測ることは難しく、学問の世界から遠ざかるほど意味を持たなくなることに気づいたからです。そして、人生をよりよく生きるために必要な能力は何か、という観点から知能の概念を再構築しようとして出てきたのがメンタルマネジメントの概念でした。

COLUMN

夏目漱石とメンタルマネジメント

夏目漱石は『草枕』の書き出しを「山路を登りながら、かう考へた」として、以下次のように続けています。「智に働けば角が立つ。情に棹させば流される。意地を通せば窮屈だ。兎角に人の世は住みにくい」。

人間存在の意義を「知情意」に求めながら、生きていくうえでこの3つをうまくコントロールできなくてままならぬ知識人の姿を見事に言いあらわしています。

このことは何も漱石の生きた明治時代だけのことではなく、いつの時代でも変わらない「人の心の真実」であるといえます。

ひとりで生きるなら別として、組織の中で生きる我々にとって、「知」「情」そして「意」の問題は実にやっかいです。「知」を思考や知識、「情」「意」を感情という視点で現代風にとらえれば、「情・意」の感情をマネジメントするメンタルマネジメントの各要因を体系的にまとめたのがこの本書です。

従来の「知」を代表するMBAなどの基本知識や専門知識（テクニカルスキル）、クリティカルシンキングや戦略思考といった思考力（コンセプチュアルスキル）に加え、俗人的、主観的といわれていた原理原則、というよりむしろノウハウとして扱われていたこのメンタルマネジメントとをあわせて仕事に取り組むことによって、「働きにくいビジネスの世界」が少しでも働きやすくなればと思っています。

ちなみに、カッツ教授がまとめたテクニカルスキル、ヒューマンスキル、コンセプチュアルスキルのそれぞれのスキルは、知、情、意に分けられた日本語と関連づけられて説明されることがあります。知はテクニカルスキルとコンセプチュアルスキルを、情・意はヒューマンスキルを扱っていることになります。本書で取りあげるメンタルマネジメントは、まさにこのヒューマンスキルにあたります。

1-3 メンタルマネジメントの体系

前述のように、メンタルマネジメントは、自分に対する自己メンタルマネジメントと、相手に対する対人メンタルマネジメントの2つに大きく分けられ、それぞれ以下の能力からなります。

まず、自己メンタルマネジメントには、自分の感情を理解する「自己認識力」、自分の感情をコントロールする「自己管理力」の2つの能力からなります。知識やロジックのある非常に優秀な人でも、自分で納得いく決断ができない人や目標や向上心がないために高い結果を継続的に出せない人がいます。仕事の結果を出すためには知識やロジックだけでは不十分で、仕事に対する意欲・向上心や自分の衝動的な情動を抑えて目標を達成していく必要があります。そのためにも自己マネジメント能力が必要になってくるのです。

一方、対人メンタルマネジメントには、相手や相手のニーズを理解する「社会認識力」、相手を説得する方法や連帯力を作るためなどのコミュニケーションを考えることで相手の感情に影響を与える「人間関係の管理力」の2つの能力からなります。知識が豊富でロジックが正しくても「この人の意見には従いたくないな」と思う人があなたの周りにもいるでしょう。このような人は対人メンタルマネジメントの欠けている人です。ビジネスの世界では必ず相手がいるわけですから、相手の感情を理解し影響を与え、相手を動かす必要があるわけです。このために対人マネジメント能力が必要になってくるのです。

これらのことから、メンタルマネジメントとは、物事の知識やロジックに加え、「自分や相手の感情を理解し、適切にマネジメントすることで、目的を達成するスキル」と定義できます。

なお、もともとゴールマンは自己メンタルマネジメント（個人的コンピテンス）を自己認識、自己管理（自己抑制）の2つに加え、モチベーション（達成意欲・コミットメント・率先行動・楽観的見方）を加え3つに分けていましたが、その後の研究ではモチベーションも自己管理に含め統合しています。つまり2つの自己メンタルマネジメントと2つの対人メンタルマネジメントの合計4つの能力に分類して体系づけているのです。

自己メンタルマネジメント能力を高めるためには、自己管理に統合されたものの中でも、特に目標の達成に向けたモチベーションを生み出すポジティブシンキング（楽観的見方）

という概念の重要性は否定できません。むしろこのポジティブシンキングにこそ大きく重点を置いて自己メンタルマネジメントをみていく必要があるといえます。

したがって本書では、ゴールマンの最新の体系にならい、特に自分を継続的に目標達成に駆り立たせ、大きな壁ができても乗り越えられるためにも必須となるポジティブシンキングに対して、特別に章を設けて説明していきます。

次項以降では、自己マネジメント及び対人マネジメントそれぞれにおいて、目的を達成するために必要な能力について見ていきます。

メンタルマネジメントの体系

成果 ＝ 知識 ＋ 思考 ＋ α

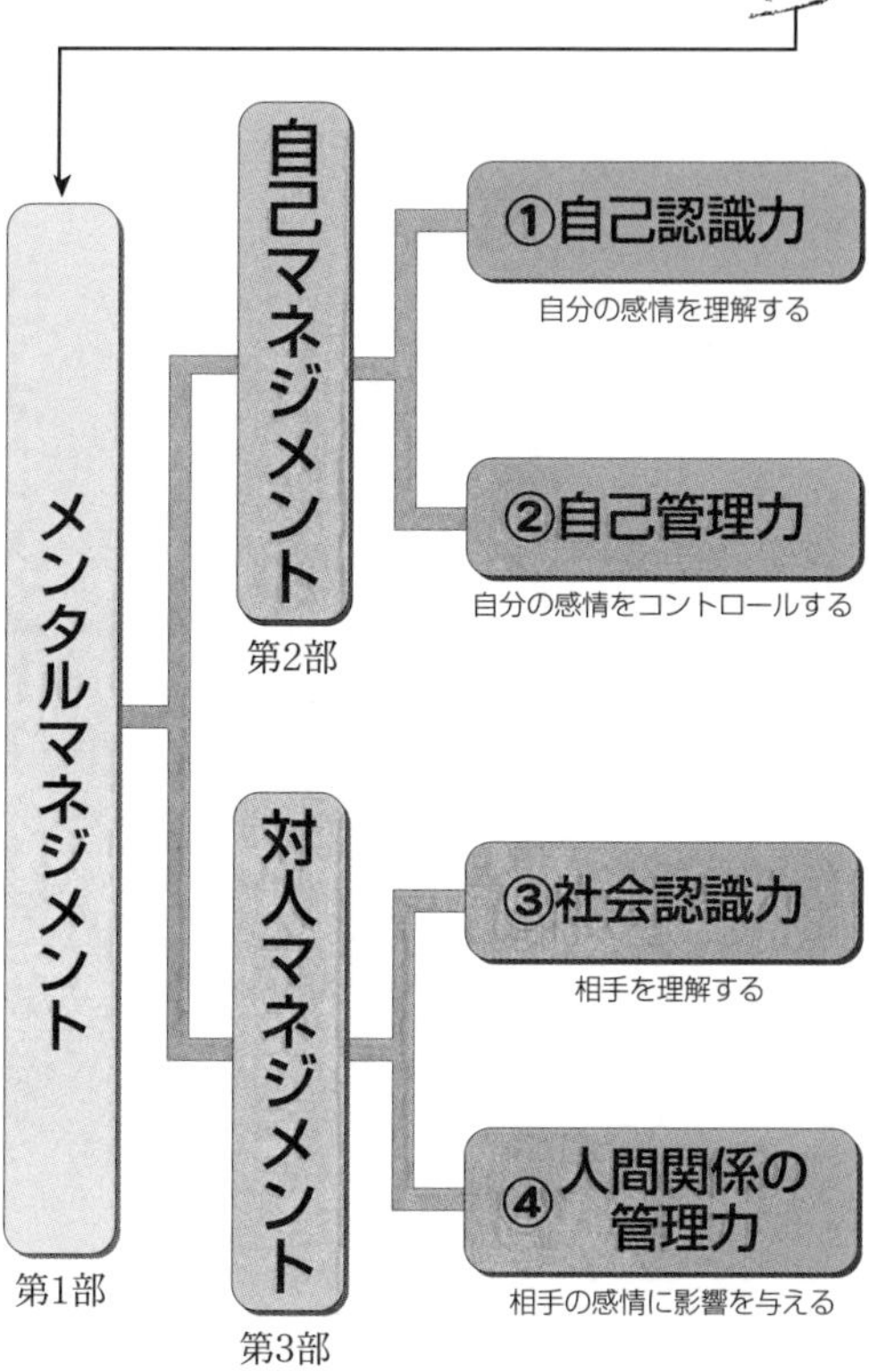

1-4 自己メンタルマネジメント①　～自己認識力～

自己認識力とは、自分の感情の動き、自分の長所や限界、自分の価値観や動機についてしっかりと把握する能力のことで、メンタルマネジメントの最も基本となるものです。ソクラテスをして「汝自身を知れ」と言わしめたように、自分のことはわかっているようで、意外とわからないものです。この能力が欠けていると、いまの自分の感情を冷静に確かめることができず、感情を抑えることができなくなります。自分の価値観が認識できないため納得のできる決断ができません。

多くの人が反対しても平気で自分の意見や要求を通そうとする我の強い人がいます。こういう人をエゴイストと言いますが、自分に対する認識力が低い人です。一方、自分の意見を持たず、他人の言いなりになる人もいます。このような人も自己認識力が低いと言えます。一般的にはほどほどに自分のことがわかっている人がほとんどでしょう。しかしそれだけでは不十分で、この能力を高めることがメンタルマネジメントの基本になります。

自己認識力の構成要素

メンタルマネジメント
自己マネジメント
①自己認識力

(1) 感情の自己認識力

自己の気分を認識し、その気分に対する自己の思考を認識する能力です。たとえば「いま自分が心に抱いているのは怒りだ」という認識をすることで、自分を客観的に見ることができ、感情をコントロールすることができるようになります。

感情の自己認識力が欠けている人は、大切な価値観を忘れてその時の感情で行動してしまい、後で失敗に気づき後悔することがあります。

(2) 正確な自己評価力

自分の強みや限界を過大評価も過小評価もすることなく理解する能力です。

正しい自己評価ができることで、他人からの腹蔵ないフィードバックを受けることができ、自分の短所を笑ってみせる余裕ができます。

(3) 自己確信力

自分の価値観に基づいて、正しいと信じることを表明できる能力です。

自己確信力のある人は、たとえ不確実な状況でも、納得できる決断ができ、その決断に責任を持つことができます。

また、たとえ不評をかっても自らの見解をはっきり述べ、正しいと信じることは一人になっても主張することができます。

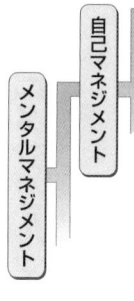

1-5 自己メンタルマネジメント② ～自己管理力～

自己管理力とは、不安や怒りのようなストレスのもとになる感情を制御したり、自分を目標に向かって駆り立てる感情を維持したりする能力のことです。

これは、言うまでもなく前述の自己認識のうえに成り立つ能力です。自分の感情を認識していなければそれを制御することはできませんし、自分の価値観を認識していなければ、自己を適切な方向に動機づけていくことはできないからです。

自己管理力が欠けていると、たとえ頭が良くても、自分の中で沸き上がった怒りや不安などの情動を抑えきれなかったり、目標に向かって自己を積極的に動機づけていくことができないために、仕事の結果に結びつかなかったり、成長することができません。

なお、この自己管理力の中でも、ポジティブシンキングを中心とした達成意欲を継続的に醸成することこそが、信頼性や誠実性、適応性といった他の力の向上のためにも特に重要になってきます。この点については、第2部で詳しく掘り下げていきます。

自己管理力の構成要素

メンタルマネジメント
自己マネジメント
②自己管理力

(1) セルフコントロール（自己抑制）
望ましくない感情や衝動をコントロールすることができる能力です。
セルフコントロールができないと緊張場面で冷静さを保つことができず、価値観に基づいた思考・判断をすることができません。

(2) 信頼性
自分の価値観や動機を示し、それらとは矛盾しない行動ができる能力です。

信頼性のある人は、自分のミス・過失を素直に認めます。

(3) 誠実性
コミットしたことを実現し、約束を守る能力です。

誠実性のない人は自分の目標を達成することに結果責任を負うことができず、責任ある結果を出すことができません。

(4) 適応性
変化やチャレンジに対応する柔軟性のことです。

適応性の高い人は、新しい情報に対して敏感です。適応性のない人は、環境の変化に柔軟に対応できません。

(5) 達成意欲
自らの目標と達成基準を達成することに強い意欲を備え、目標達成のために、楽観的に粘り強く取り組む能力のことです。

楽観的に粘り強くの取り組むことをポジティブシンキングとも言います。好ましくない状況や環境の中で粘り強く取り組んでいくためにも、ポジティブシンキングが達成意欲を高めるためには非常に重要となってきます。

(6)イニシアチブ
機会を生かす行動を積極的に進める能力のことです。

イニシアチブを高めるためには、率先行動を行うこと、そしてさまざまなソースから新奇なアイディア、方法、情報を積極的に活用できるイノベーションの要素が重要になってきます。

1-6 対人メンタルマネジメント①　～社会認識力～

メンタルマネジメントの体系の中でも個人のメンタルマネジメントに関する前項までの2つに対して、この社会認識力と次項の人間関係の管理力は対人のメンタルマネジメント能力といえます。

社会認識力とは、相手の感情を表情や声から推し量って把握する能力のことです。たとえば文章を読む際に「行間を読む」という言い方をしますが、対人関係の中で、単にその人が発する言葉の上だけでなく相手の感情やその人の本当の気持ちを読むことを言います。いくら豊富な知識と完璧なロジックで話をできる人でも、社会認識力の欠けている人は相手の感情を理解しないで突然場違いの発言をしたり、相手が話を聞き飽きているのにも構わずに話し続けていったりします。

社会認識力の構成要素

メンタルマネジメント
対人マネジメント

③社会認識力

(1) 共感力

相手の話に耳を傾け、相手の感情を理解することができる能力です。

この能力の高い人は、感情のきざしに注目し相手の話を真剣に聞くこと（傾聴）ができ、相手の感情を理解することができます。

また、多様な背景を持つ人々や異文化圏の人々を受け入れることができます。

(2) 組織感覚力

集団のパワーや政治的権力の理解をする能力といえます。

集団の中において重要な社会的ネットワークを感知し、決め手となる力関係を読むことができたり、集団の中にある暗黙のルールや価値観を読み取ることができる力です。

(3) 奉仕能力

相手のニーズを予測し、認識し、満足させることです。

奉仕能力の高い人は、顧客のニーズを理解し、その理解をサービスや製品に活かし、顧客の満足と忠誠心を高める方法を探すことができます。

1-7 対人メンタルマネジメント② ～人間関係の管理力～

人間関係の管理力とは、自分を他人と同調させ、他人の感情に影響を与えていける能力をいいます。

これは自分を押し殺して他人に合わせるという意味ではなく、お互いの言い分を出し合った上で、その違いを乗り越えて協調することを言います。他人依存型の人にとっては下手をすると過剰適応してしまう危険性もはらんでいますが、それを避ける意味からも、お互いに意見を出し合った上で協調することで、集団としてのまとまり（凝集性）と、集団の効率性を維持できるのです。

この能力が高い人は人間関係構築力や相手の能力開発力に優れ、組織の中で調整能力や影響力を発揮しますので、組織の中では貴重な存在として重宝がられます。一方、この能力の低い人は、ＭＢＡのような知識と精巧なロジックがあっても他人との意見の相違を上手く調整できず、プロジェクトに入っても他人と上手くかみあいません。そのため、組織の中では孤立することになります。

人間関係の管理力の構成要素

メンタルマネジメント ― 対人マネジメント ― ④人間関係の管理力

(1) 相手の能力開発力
相手に共感し、適切なフィードバックを与えて才能を育てる能力です。

コーチングなどの手法も、相手を理解し、自ら答えを出させることで相手の能力を引き出して結果を出すなど、相手の能力開発に有用なものの一つといえます。

(2) 影響力
さまざまな説得術の行使により、相手の意思決定や行動に影響する能力。

(3) コミュニケーション力
効果的に自己の感情を伝え、相手から同様に感情を受けることで意思疎通をする能力。

(4) 紛争処理力
意見の相違を解決し、組織内の対立を上手く処理する能力。

(5) 鼓舞激励力
求心力のあるビジョンを掲げてモチベーションを与える能力。

(6) 変革促進力
新機軸を発議し、そのプランをコントロールし統率していく能力。

(7) 関係構築力
対人のネットワークを構築することのできる能力。

(8) チームワークと協調力
友好的な協調関係を作り出し、集団に一体感をもたらす能力。

1-8 4つの能力の関係

前項までで見てきたように、メンタルマネジメントは、自己のメンタルマネジメントと、対人のメンタルマネジメントの2つからなります。自己メンタルマネジメントは①自己認識力②自己管理力からなり、対人マネジメントは③社会認識力④人間関係の管理力からなります。ここではこれらの4つのスキルがどのように関連しているのかを見ていきます。

まず自己メンタルマネジメントは対人メンタルマネジメントの基礎となります。前述のとおり自分を理解・管理できない人が相手を理解・管理することは非常に難しいからです。

自己メンタルマネジメントの中でも、①自己認識力は他の3つの能力の基礎となっています。なぜなら自分の感情や価値観、長所を理解していなければ、自己管理ができないばかりか社会の中で相手を正しく理解することもできないからです。したがってメンタルマネジメントを高めるためにはまず自己認識力をしっかり固める必要があります。

②自己管理力は③社会認識力と④人間関係の管理力の前提となっています。自分の感情

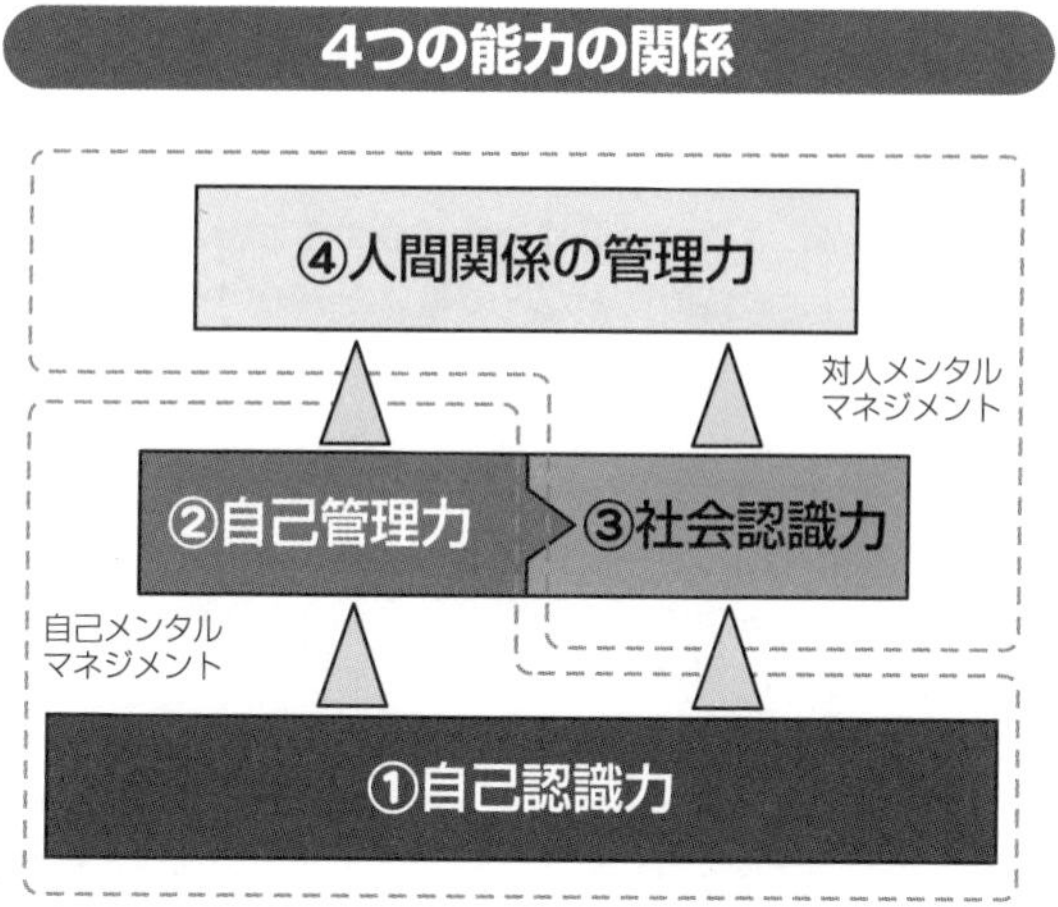

もコントロールできない状態で相手を理解したり、相手と協調したりしていくことは難しいからです。また、③社会認識力は自己認識力と自己管理力ができて初めて成り立ち、④人間関係の管理力はまさに①自己認識力、②自己管理力、③社会認識力の上に成り立っています。自分の感情を理解して、それを統制できることが前提で、さらに相手の感情を理解した上で、④人間関係の管理力は発揮されます。

このようにメンタルマネジメントは4つの能力が積み重なってできあがるものです。まず全体像をしっかりとイメージできるように理解することが最も重要といえます。

COLUMN

メンタルマネジメント能力の高い人間とは

ＩＱの高い人とＥＱ（メンタルマネジメント能力）の高い人というのは、どのような人をさすのでしょうか。男性と女性では少し異なってきますが、ここでは男性像を紹介することにしましょう。
いずれもＩＱ、ＥＱの要素だけで描いた仮のプロフィールです。

高いＩＱを持つ男性は「野心的かつ生産的で、不撓不屈の精神をもって予定どおりの行動をとり、自分自身について不安がない。他人に対しては批判的だが慇懃無礼で、神経質で羽目をはずさず、性的・官能的体験が苦手で、自分の感情を外に表さず超然と構え、情緒面は冷淡で無味乾燥だ」
対照的に、ＥＱの高い男性は「社会的なバランスがとれ、外交的で快活。何かを恐れたり、くよくよ悩んだりすることがない。人のため大義のために身を投げ出す気持ちがあり、責任感や倫理観がしっかりしている。他人との関係においては親切で思いやりが深い。情感は豊かだが、暴走することはない。自分自身に対しても他人に対しても、身構えたところがない」

もちろんこれらは極端な例です。しかしこのように純粋なステレオタイプをつくってみると、ＩＱとＥＱの違いがよく理解できます。
「ＩＱとＥＱの割合によって、人間はさまざまな特長をミックスした性質を持つわけだ。とは言っても、やはり、人間を人間らしい存在にする働きは、ＥＱの方がはるかに強いといえよう」。ゴールマンはこのように結んでいます。

第2部

自己メンタルマネジメント能力を高める

第1部ではメンタルマネジメントの概略を見てきました。これから厳しい世の中で成果を出して生きていくためには、MBAなどの知識やクリティカルシンキングといったロジックだけでは不十分であり、メンタルマネジメント能力を高めることが必要だということに異論はないと思います。

第2部では自己メンタルマネジメント能力を高めるために実際にどのようにすればよいのかを見ていきます。第2章では、ポジティブシンキングの重要性、第3章では自己イメージの重要性、第4章では自尊心の重要性、第5章では目標設定と達成について見ていきます。

より高い目標に挑戦し、達成するために基礎となることがポジティブシンキング、自己イメージの認識・修正と高い自尊心です。これらを身につけることによって、自己メンタルマネジメント能力が高まり、さらには対人メンタルマネジメント能力を高めることにつながっていきます。

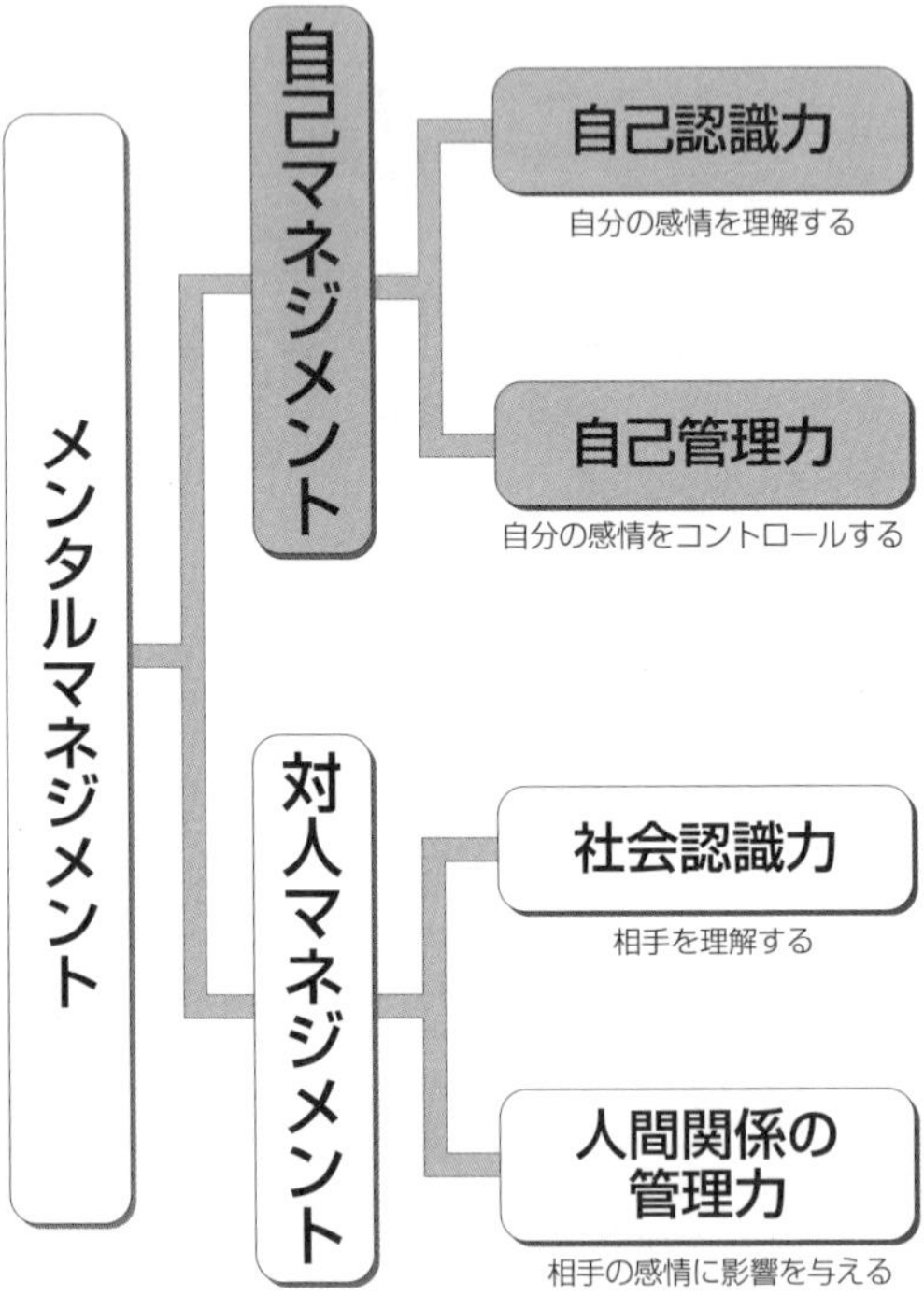
メンタルマネジメント
自己マネジメント
自己認識力
自分の感情を理解する
自己管理力
自分の感情をコントロールする
対人マネジメント
社会認識力
相手を理解する
人間関係の管理力
相手の感情に影響を与える

第2章
ポジティブシンキングの重要性

2-1 メンタルマネジメントテスト

メンタルマネジメントの大切さが理解されるようになって、今ではメンタルマネジメントを測定するテストがいくつか考え出されていますが、決定的なものはいまだ存在していないと言われています。それだけ「感情」を測定することは難しいということです。

ここでは簡易版を紹介しましょう。

●1～16までの質問に対して、最も自分の気持ちに近いと思われる数字を（　）の中に記入する。

●それぞれの能力の数字を合計する。ただし13～16までの数字については、4→0、3→1、2→2、1→3、0→4と見なす。最高得点は16点で、点数が高いほどそれぞれの能力が高いといえる。

メンタルマネジメントテスト

以下の文章を読んで、自分の気持ちに最も近いと思われる数字を（　）内に記入してください。

非常にあてはまる：4　あてはまる：3　どちらともいえない：2
あまりあてはまらない：1　まったくあてはまらない：0

1. 他人の評価を気にしないで、自分の意見をまとめることができる。（　）
2. 大勢の人の前でも、緊張しないで話をすることができる。（　）
3. 初対面の人とでも上手く会話ができるほうだ。（　）
4. 自分と意見の違う人とも協力していけるほうだ。（　）
5. 他の人と話している時でも、素直に自分の気持ちを表現できる。（　）
6. つらいことや悲しいことがあっても取り乱すことはない。（　）
7. 自分のことを批判されると、ムキになって言い返すほうだ。（　）
8. 作業を進めるにあたり、周りの人々のことを十分に考えて行動する。（　）
9. 食べ過ぎ飲み過ぎが原因で気分が悪くなることはほとんどない。（　）
10. 友人が相談にきて、悩みを打ち明けられることがよくある。（　）
11. カラオケに行ったら、その場の雰囲気で歌う曲を決めるほうだ。（　）
12. 自分の目標達成のために協力してくれる複数の人がいる。（　）
13. 「どうしてあんなことを言ってしまったのだろう」と後悔することが多い。（　）
14. デパートに行くとついつい衝動買いをすることが多い。（　）
15. 人の話にうなずきながら、頭では別なことを考えていることがある。（　）
16. 人から頼みごとをされると、気が進まない時でも引き受けてしまう。（　）

それぞれの数字を下の（　）に入れて合計を出します。

① **自己認識力**　1(　) + 5(　) + 9(　) + 13(　) = 合計(　)
② **自己管理力**　2(　) + 6(　) + 10(　) + 14(　) = 合計(　)
③ **社会認識力**　3(　) + 7(　) + 11(　) + 15(　) = 合計(　)
④ **人間関係の管理力**　4(　) + 8(　) + 12(　) + 16(　) = 合計(　)

2-2 メンタルマネジメントとポジティブシンキング

前項のメンタルマネジメントテストで4つの能力をテストしてみました。このうち、①と②は、自己認識力と自己管理力という「個人的能力」、また③と④は、社会認識力と人間関係の管理力という「社会的能力」が、それぞれ含まれています。

つまり、メンタルマネジメントは大きく2つの概念で構成されていることになります。つまり、①と②は個人主義の論理が、また③と④は集団主義の論理が入っていると見ることができます。

私たち文化は「いずれも平均的に」ではなく、この集団主義か個人主義のどちらかに「軸足」を置いていています。ルース・ベネディクトを持ち出すまでもなく、アメリカは内部志向の「個人主義」の文化に、日本は「和をもって尊しとなす」他人志向の集団主義の文化に、それぞれ軸足を置いてきたといってよいでしょう。

ところが、最近の傾向として、アメリカにおいては「個人主義の行き過ぎ」が、また日本においては「集団主義の行き過ぎ」がそれぞれ起こり、日米両国において「ウツ病」が蔓延するという現象が見られるようになりました。

こういった時代には「目標を設定し、挫折した時でも楽観を捨てず、自分自身を励ます（ポジティブシンキングの定義）」ことができれば、文化の違いを超えてウツ病にならずにいられることができるのです。ポジティブシンキングは自己管理力の要因としてあげられますが、個人的能力の中でも特に重要な要因としてとらえられており、ここでもこの点にフォーカスして踏み込んでいきたいと思います。

ポジティブシンキングの効果

個人主義の文化圏では、個人である自分だけが頼りで、何でもできるかわりに、責任はすべて自分が負わなければならないことになります。自分を見失った時には、頼るすべもなく、行き着く先は自信喪失のウツ病の世界です。

集団主義の文化を持つ日本でも、家庭は最後の拠り所ではなくなりました。会社でも終身雇用制が崩壊し、いつ首を切られるかわからない状況です。いままで心の錨を下ろす場所だった会社や家庭がなくなってしまったのです。そうかといって個人主義が根づいているわけではないので、どこに自分のアイデンティティを求めてよいのかわからなくなってきています。そのため日本でもウツ病が蔓延してきました。皮肉なことに、豊かになった日米両国で時を同じくウツ病の蔓延および低年齢化現象が見られるようになったのです。

これは同時に、個人および集団としての目標の喪失でもありました。つまり、目標を失うことで無力感に陥り、自分を見失っていくのです。一方、目標を持ちそれを追求する心の態度を持っている人は自分を見失うことも、自信を喪失することもないので、ウツ病になることもないのです。

ここにポジティブシンキングの定義の意味があるといってよいでしょう。すなわち、ポジティブ度の高い人は人生に意味を見出し、充実した人生を送ることができる、というメッセージです。

自分で目標を設定し、それを追求する過程でたとえ挫折するようなことがあっても、自分を励まし、ダルマさんのように起き上がることができる。そのような人生を歩みたいものです。

COLUMN

脳の働きとメンタルマネジメント①

子供の成長を見て親は手放しで喜び、自分の子供をまるで「神童」と思えるときがあります。しかし、長ずるに従ってだんだん評価が下がり、とどのつまりは普通の人間になってしまう、ということもよくあります。

これは、脳の成長を見れば、うなずけることです。次のグラフは生まれてから成長するまでの脳の成長曲線です。

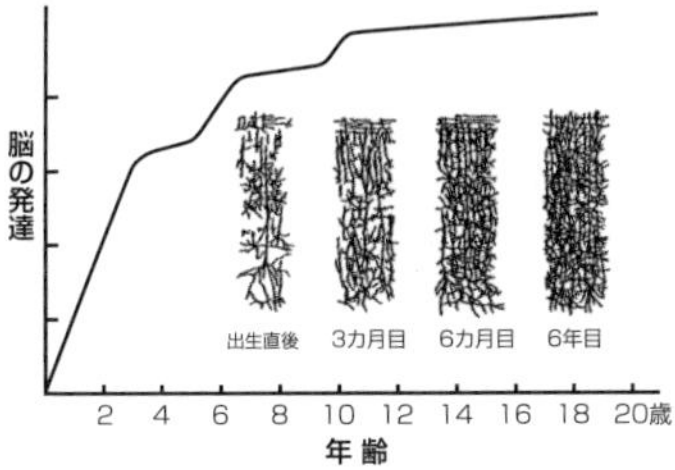

『人間であること』
時実利彦（岩波新書）より

生まれたときの赤ん坊の脳の重さは、370 〜400グラムで、男女の差はほとんどありません。生後の脳の発達の速度は、身体のほかの部分よりずっと早く、６ヶ月で生まれたときの重さの２倍になり、７〜８歳で大人の重さの90%に達します。後はゆっくり成長していき、男では20歳、女では18〜19歳で完成します。完成したときの脳の重さは、男で1,350〜1,400グラム、女で1,200〜1,250グラムです。（『脳の話』時実利彦、岩波新書）

ところで、脳を組み立てている神経細胞は生まれたときに、数だけはちゃんとそろっていて、約140億個あるといわれています。成長するに従ってたくさんの樹状突起を伸ばして、まわりの脳細胞と複雑にからみあうことで、知能も発達し、感情の表現も豊かになっていきます。しかしそれも脳が完成するまでで、あとは神経細胞は増えることなく、徐々に（１日10万個ずつ）壊れていきます。一度壊れると決して再生することはありません。

（もし脳細胞が新陳代謝すると、記憶も喪失し自分が何者であるか解らなくなってしまいます）

2-3 ポジティブシンキングとは

自己メンタルマネジメント能力を高める際に特に重要なものがポジティブシンキングです。ポジティブシンキングは楽観的見方とも言い、目標を設定して諦めずに追求する態度のことです。ポジティブシンキングができないと、難しい問題や困難に出会った時に諦めてしまったり、失敗した時にすぐに立ち直れないといったことが起こり、いくら知識とロジックがある人でも結果を出すことができません。

日本ではものごとの明るい面だけを見ようとする能天気なお人好しを想像します。セルバンテスの無鉄砲な「ドンキホーテ」のイメージがそれです。しかし本当の意味はそうではありません。高い目標を持ち、挫折や失敗した時でも諦めることなく自分自身を励ます能力のことで、たとえば七転び八起きするダルマさんのイメージが正しいでしょう。

当然、人間には楽観的な面と悲観的な面の両方が必要です。しかし、時と場合によるメリハリと総合的なバランスが必要です。たとえば、自分の権利だけ主張して責任を負わな

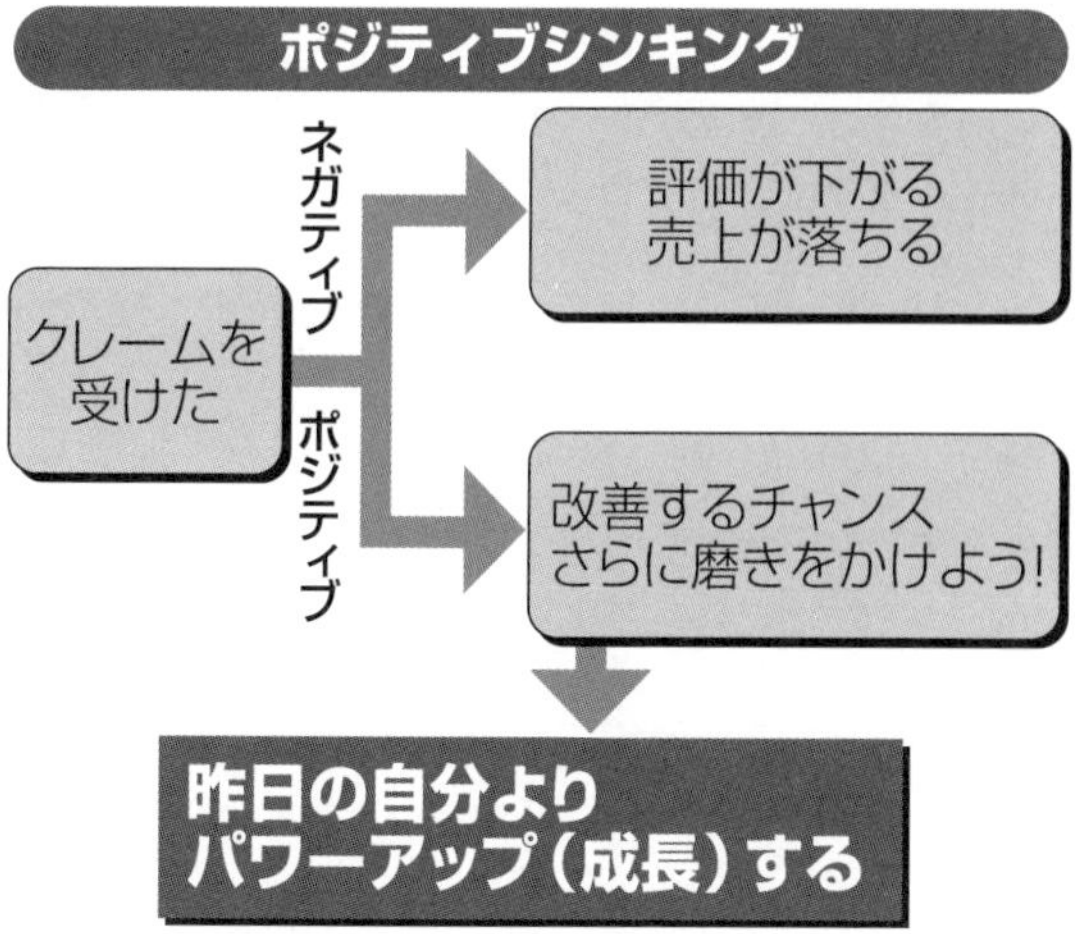
ポジティブシンキング
クレームを受けた
ネガティブ
評価が下がる
売上が落ちる
ポジティブ
改善するチャンス
さらに磨きをかけよう!
昨日の自分より
パワーアップ(成長)する

い、目標そのものを持たない、起業した経営者が根拠のない目標を立てたり、危機的状況になっても平然としているといった態度は決してポジティブシンキングとは言いません。これは思考停止といえるでしょう。

ポジティブシンキングの基本的な特性とは高い目標(後述)に向かって楽観的な視点で思考・行動ができるかということです。

バーナード・ショーは「テーブルの上にある半分入ったウィスキーのボトルを見て『ああ、もう半分しか残っていない』と嘆くのが悲観主義者、『いや、まだ半分も残っているじゃないか』と喜ぶのが楽観主義者である」と言っています。同じものを見てもこのように見方が違うのです。

2-4 セリグマンの「ポジティブシンキング」

ポジティブシンキングを真正面から取り上げた心理学者がいます。ペンシルベニア大学のマーチン・セリグマン教授です。

教授は、「私たちは日常生活において、大なり小なり多くの失敗や挫折を経験するが、その痛手から早く立ち直る人と、いつまでもそれを引きずってしまう人がいる」として、その違いを「説明スタイル」という概念を導入して説明しています。

「ある事象が自分の身に起こった時、その原因をどのように自分自身に説明するかは習慣的」であり、個人によってそれぞれ一定のスタイルがあると言います。

たとえば、失敗や挫折を経験した時、「なんとか打開策がある」と思っていれば無力感に陥らなくてすむ。ところが、「自分がいくら努力したところで状況は少しも良くならない」と思えば、すっかり意欲を失って諦めの態度が生じます。

その場合、失敗や挫折そのものよりも、その原因を何のせいにするかが決定的なのです。

テストで失敗した時、「自分の能力が足りなかったからだ」、「自分の頭が悪いせいだ」と思えば、「これ以上勉強したって始まらない」と諦めの気持ちになるでしょう。しかし、「自分の努力が足りなかった」、「テストが難しすぎた」と思えれば、次回にはもっと努力して良い結果を得ようと机に向かって勉強するでしょう。

セリグマンは、前の例で、能力不足に原因を求めて諦めるケースを悲観的説明スタイル（悲観主義者＝ポジティブシンキングができない人）、努力不足に原因を求めて事態を改善しようとするケースを楽観的説明スタイル（楽観主義者＝ポジティブシンキングできる人）と定義しています。

説明スタイルの3つの軸

セリグマンは、「ある事象が自分の身に起こった時、人は通常3つの軸を用いて説明する」と言います。

・永続的か一時的かという時間の軸
・特定の理由によるか全般的な理由によるかという普遍性の軸

・その原因が自分にあるか自分以外にあるかという個人度の軸

特に、困難な状況に直面した時に、状況をどのように自分に説明するかという点で両者の違いは際立ってきます。

ポジティブシンキングができない人は「この悪い状況はずっと続くだろう。そしてこのせいで、私は何をやっても上手くいかないだろう」と思い込んでしまいます。つまり悲観的な人は、困難が永続すると思い、ある一つの分野で挫折すると、すべてを諦める傾向があるのです。そして「自分には才能がない」と思うようになります。

これに対して、ポジティブシンキングができる人は失敗にもめげず、これを試練だと考えてもっと努力するようになります。

これらの関係を図示すると次ページの図のようになります。

挫折を経験したとき

ポジティブシンキングの

	できる人	できない人
自分に対する説明スタイル	・不幸は一時的なもの ・原因はこの場合に限られる ・敗北は自分のせいだけではない 状況が悪かった ・改善できる	・悪いことは長く続く ・何をやっても上手くいかないだろう ・敗北は自分が悪いからだ
↓	↓	↓
態度	敗北にもめげない これは試練だと考える	小さな障害でも超えることができない障害に見え早く諦めてしまう
↓	↓	↓
行動	もっと努力する	努力しなくなる ↓ 無力感

2-5 ポジティブシンキングの恩恵

セリグマン教授は「ポジティブシンキングの応用が最も役に立つのは、ウツ病の治療、成績や業績の向上、健康増進の3分野だ」といい、いろいろな調査結果を発表しています。そのうちの3つを『オプティミストはなぜ成功するか』（講談社）から引用しつつ見てみましょう。

セールスマンの例

アメリカ第2位のメトリポリタン生命の例です。保険のセールスは、何度断られても諦めない粘り強さがないと長続きしないと言われています。

「同社ではセールスマンの採用にポジティブ度テスト（SASQ・後述）を導入した。新規採用した社員のうち、1年後に半数以上の56・7％が会社を辞めた。誰が辞めたのか？ポジティブ度テストで（ポジティブ度が）下半分にいた社員は、上半分の人々より2倍辞める率が高かった。さらに下位の四分の一にいた社員は、上位四分の一にいた人々より3倍多く辞めた。契約獲得高で見ても、上位半分の人は、下位半分の人たちより20%多く、また上位四分の一の人は、下位四分の一の人より50%多く契約を獲得した。その後も、ポジティブ度の高い人と低い人たちとの格差はどんどんついていった」

なぜこのようなことが起きたのでしょうか。セリグマン教授は「楽観主義は粘り強さを引き出すからだ。はじめはセールスの才能と意欲も粘り強さと同様に大切だ。だが（顧客から）拒否され続けると、粘り強さが決め手になる」と結論づけています。

スポーツの例

スポーツとポジティブ度の間にも密接な関係についても詳細に言及しています。例として野球、バスケットボール、水泳を挙げていますが、スポーツ全般にいえることだと述べています。

たとえば、野球については

1．選手一人ひとりのポジティブ度と記録には密接な関係がある。

（1）バッターの場合の打率との関係―特に最終3イニングの打率
（2）ピッチャーの場合の防御率との関係―特に最終3イニングの防御率

2．チームのポジティブ度と勝率の間にも密接な関係がある。

つまり、プレッシャーのかかっている時には、ポジティブ度の高い選手やチームは、ポジティブ度の低い選手やチームよりよい成績をあげるということです。これは団体競技だけでなく、水泳のような個人競技にもあてはまります。

健康の例

最後に健康とポジティブ度との関係について見ることにしましょう。

これは、一九三九年から一九四四年の5年間に、ハーバード大学を卒業した学生の約5％（200人）を対象に追跡調査した研究です。彼らは5年ごとに広範な健康診断を受けてきました。それによってわかったことは、「60歳の時の健康状態は、25歳の時のポジティブ度に深い関係があった。悲観的な人たちは楽観的な人たちよりも早い時期に、しかも重い成人病にかかり始め、45歳になった時には、健康状態にかなり大きな差ができていた」

だけでなく、「45歳からの20年間の健康を決定する要因として、ポジティブ度が最も重要である」と結論づけています。

このようにポジティブシンキングのメリットを強調した上で「自分の説明スタイルを変えることで、悲観主義者は楽観主義者になることができる」というのが教授の見解です。もちろんすべての状況においてやみくもにポジティブシンキングを適用しようというのではなく「悲観主義には一つの長所がある」とも言います。悲観主義は現実をより正確に把握するのに役立つのです。

日本では、楽観主義者は能天気なお人好しのイメージで見られることが多いが、決してそうではありません。楽観主義とは、「人生で挫折を味わった時に、もっと元気が出るようなものの考え方で、自分自身に語りかけるにはどうしたらよいか」という方法を身につけることです。教授の言葉を借りれば、「現実的にものごとをとらえ、楽観的に行動する柔軟な楽観主義者」こそこれからの時代に求められる人材像といえるでしょう。

2-6 説明スタイルの獲得

セリグマン教授は、「説明スタイルの形成は早い時期に始まり、8歳ですでにかなりはっきりした形で見られるだけでなく、母親の説明スタイルがそのまま子供の説明スタイルに強く反映する」と言っています。

「悲観的説明スタイルの子供は、無気力に陥りやすく、能力を出し切れず、成績不振になりやすい」、さらに「子供のころに身につけた楽観主義または悲観主義は基本的なもので、失敗も成功もこれらを通して考えられ、強固な思考習慣となる」と述べています。

つまり、子供の時母親が世の中の出来事をどのように説明していたのかは、子供の説明スタイルに非常に大きな影響を及ぼすというのです。また「母親のポジティブ度と子供のポジティブ度は非常に似通っている」が「父親のスタイルとはあまり共通点がない」とも述べています。

つまり、幼い子供は、何かが起こった時に、主に自分の世話をしてくれる人（ふつう母

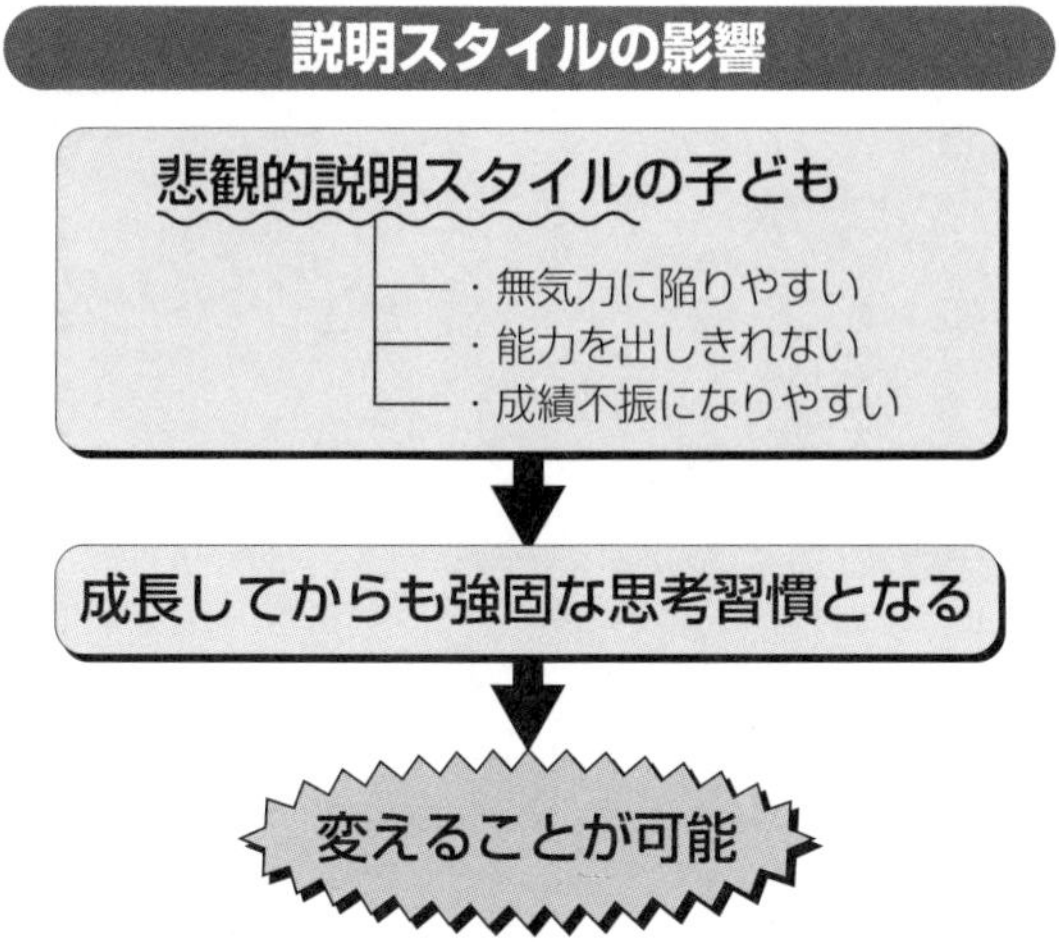
説明スタイルの影響
悲観的説明スタイルの子ども
・無気力に陥りやすい
・能力を出しきれない
・成績不振になりやすい
成長してからも強固な思考習慣となる
変えることが可能

親）が、その原因について話すのを一言も漏らさず聞こうとします。そして、自分の身に同じようなことが起こった時、そのスタイルをまねて状況を説明するのです。

もしテストで自分に悲観主義的な傾向があるとわかっても、それでおしまいというわけではありません。

セリグマン教授は「悲観主義は変えることができ、必要な時にポジティブシンキングを使いこなす方法を会得することができる」として、次項から述べる学習方法が準備されています。

2-7 ポジティブシンキングの獲得

ABCモデル

それでは、どのようにしてポジティブシンキングを身につけるのでしょうか。

セリグマン教授は、心理学者アルバート・エリスが開発したABCモデルを保険のセールスマンのケースに応用して説明しています。

（ア）A. この1週間全然予約が取れなかった。
B. あなたは「私は何をやってもだめだ」と思う。
C. あなたは悲しくなり、何もする気にならない。

（イ）A. この1週間全然予約が取れなかった。
B. あなたは「先週は上手くいったんだから」と思う。
C. あなたは悲しくなることもなくいつも通り仕事を続ける。

起こった出来事は同じですが、結果は大きく違っています。つまり、困った出来事そのもの（A＝Adversity）が、結果（C＝Consequence）を生むのではなく、AとCの間には困った出来事をどのように受け止めるか、すなわち認知の問題（B＝Belief）があり、それによって感情や行動（C＝Consequence）が左右されるという関係がわかってきます。

つまり、AがCを生むのではなく、BがCを生むのです。Aに変化がなくても、Bが変わればCが変わるのです。このBが悲観的説明スタイルであった場合には、それを楽観的なスタイルに変えればよいわけです。

ＡＢＣＤＥモデル

（ア）のケースでは、「私は何をやってもだめだ」という説明スタイルをとっています。これでは気分は落ち込み、前に進む気になれません。そこで、自分が悲観的な思い込みをしていると気づいたら、その考え方に反論してみましょう。前のＡＢＣの後にＤ（Disputation＝反論）とＥ（Energization＝元気づけ）を付け加えることにします。たとえば、

D．私は大げさに考えすぎているようだ。確かに今週は1件も予約が取れなかったが、先週は2件取れたし先々週も取れている。1週間取れないからといってくじけることはない。来週がんばればよいのだ。

E．またアポを取るため電話をかける勇気が出てきた。このような試練をくぐり抜ければ、自分も強くなれるに違いない。

このように、自分が悲観的な思い込みをしていることに気づいたら、その考え方に反論することです。自分の考え方を上手く否定することができれば、同じような状況にあっても、このような思い込みに捕らわれることが少なくなります。それができれば、自分を励ますことができるようになります。そして、悲観主義のワナ（悪い出来事を反復して無気力になる）にはまることがなくなるのです。

私たちは何を考えるか選ぶことができるように、どのように感じるかさえも選ぶことができるようになれるのです。

ABCDEモデル

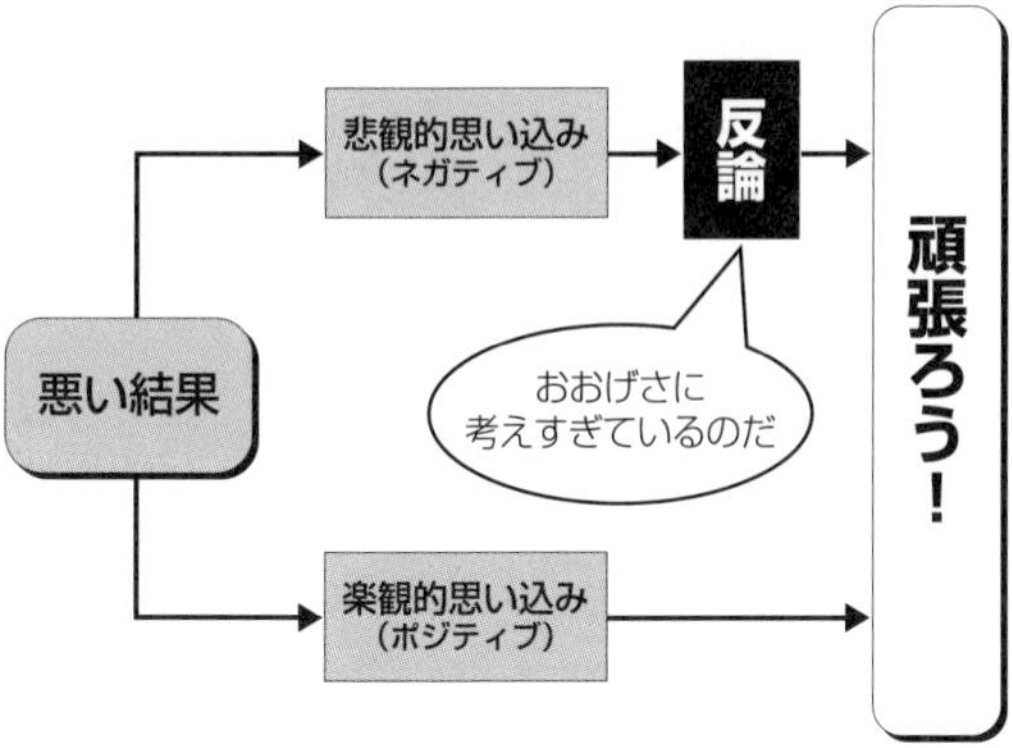
悪い結果
悲観的思い込み（ネガティブ）
反論
おおげさに考えすぎているのだ
楽観的思い込み（ポジティブ）
頑張ろう！

Adversity（逆境）
「この1週間、全然予約が取れなかった」
↓
Belief（考え）
「私は何をやってもだめだ」と思う
↓
Consequence（結果）
悲しくなり、何もする気にならない

＋

Disputation（論争）
おおげさに考えすぎているようだ
来週がんばればよいのだ
↓
Energization（元気づけ）
このような試練をくぐりぬければ
強くなれるに違いない。

2-8 ポジティブ度テスト

セリグマンは、ポジティブ度は測定することができるとして特性診断テスト・SASQ（Seligman Attributional Style Questionnaire）を開発しています。

たとえば次のような（良いこと、悪いことの）設問が用意されています。

（1）あなたは大金持ちになりました。どうしてそうなったのか、その原因を一つだけ書いてください。

（2）あなたはリストラにされました。どうしてそうなったのか、その原因を一つだけ書いてください。

それに対して、思いあたることを簡単に記述した後で、次のような質問に自分の考えを7段階で評価します。

ポジティブ度テスト

	順境の時	逆境の時
タイプA	楽観的	楽観的
タイプB	楽観的	悲観的
タイプC	悲観的	楽観的
タイプD	悲観的	悲観的

SASQの魅力は、外からは知り得ない個人の本音の部分（メンタリティ）を浮き彫りにしてくれる点です。その意味で経験をつまれた監督やコーチなどの第三の目になりうるのです。

たとえテストで悲観的傾向が強いとわかっても、それを冷静に受け止め、ポジティブシンキングができる方法を会得することができる点が優れています。

①その原因はあなた自身にありますか、それとも、あなた以外にありますか。
②その原因はずっと続くと思いますか。それとも、これきりのことですか。
③その原因はこのケースだけに影響を与えますか。それとも、他のことにも影響を与えますか。

これは回答者の説明スタイルを引き出すテストで、順境時と逆境時、楽観的と悲観的という2つの軸を交差させることにより、上図のように4つの説明スタイルに分類できます。

2-9 適性検査

人の能力や性格をどのように判断するかは、見る人の立場と経験によって違いがあります。そのため企業では、個人的判断によらないで、できるだけ客観的に人を評価しようという試みがなされています。その一つが、簡便に受けられるテストの開発であり、一般的には「適性検査」と呼ばれるものです。この適性検査と面接の結果を加味して採用の可否を決めているのが普通です。

ところで、これらのテストは「人をどのような基準で評価するか」によって違ってきます。一般的には、その人の基礎的能力（ＩＱ）がどの程度あるかという能力検査と性格パターンなどを見る性格適性検査の２つ（能力＋性格・適性）から成り立っています。

これに対して、セリグマン教授が開発したＳＡＳＱ（ＥＱテストの一種）は、人間の３つの特性、つまり能力、意欲（動機）、ポジティブ度を元に成功する人材を選ぼうとするも

従来の適性検査とSASQテスト

従来の適性検査	SASQテスト
能力（IQ） ＋ 性格・適性	能力（IQ） ＋ 意欲 ＋ 楽観性 （ポジティブ度）

のです。特に「失敗しても諦めない粘り強さがあるかどうか」（ポジティブ度）が、学校の成績や産業界における生産性などを左右する重要な要素になっているとしています。

意欲やポジティブ度の項目を内容にしているSASQテストは、専門家でなくても作れることから非常に活用の範囲の広いものになっています。

社会で成功するには、EQの要素が大切だ（80％）といってきましたが、ポジティブ度はそのEQの中でも最も重要な要素だということを考えると、このテストの重要性が伺えます。

2-10

「向き不向き」より「前向き」

適性検査は、職業や仕事などに適した人材を選別するために開発されたものです。これには、「その人の知識やスキル、性格などにより職業や仕事に向き不向きがある」という前提があります。

しかし、仕事というのは、「やってみなければわからない」面が多分にあり、やっているうちに「自分に向いている、向いていない」と気づくものです。むしろ「向き不向き」より「前向きかどうか」を見極めることが大切です。

特にこれから求められる人材は、困難な状況に直面しても現実をしっかりと認識した上で、プラス思考で物事に対処し行動を起こせる人です。このような人をこれまでの適性検査だけで振り分けることができるとは、とても思えません。

特に仕事については、上手くいけばその仕事は「自分に向いている」と思うし、そうすると、面白くなってさらに努力する。するとさらに上手くいく、という良い循環関係がで

適性と態度

		態度	
		前向き	後ろ向き
適性	向いている	◎	△
	向いていない	○	×

きあがるのが一般的です。

一方、自分に向いていると思っていた仕事をやってみて、上手くいかなければ、本人にとって面白くないし、これは自分に「向いていない」と思うようになります。それが重なると、いよいよやる気を喪失して辞めたくなる、という悪い循環関係ができてきます。

したがって、その職業なり仕事にはじめから適性があるのではなく、むしろ前向きかどうかという態度の方が大事だということです。

その関係を図示すると、上図のようになります。

COLUMN

脳の働きとメンタルマネジメント②

コンセプチュアルスキル（ＩＱ）とメンタルマネジメント能力は、私たち人間の脳の働きと関係があることがわかっています。

人間の脳は進化の過程をそのまま引き継いでおり、三層構造になっています。爬虫類の脳といわれる「脳幹」、哺乳類の脳といわれる「大脳辺縁系」、そして人間の脳といわれる「大脳新皮質」の３つです。このうち、脳幹は生きるための根源的な「意思」をつくり、大脳辺縁系は「情動」を生み、大脳新皮質は「知」を生み出します。

それらの関係を時実利彦の『人間であること』(岩波新書)にしたがって図示すると、下のように表すことができます。

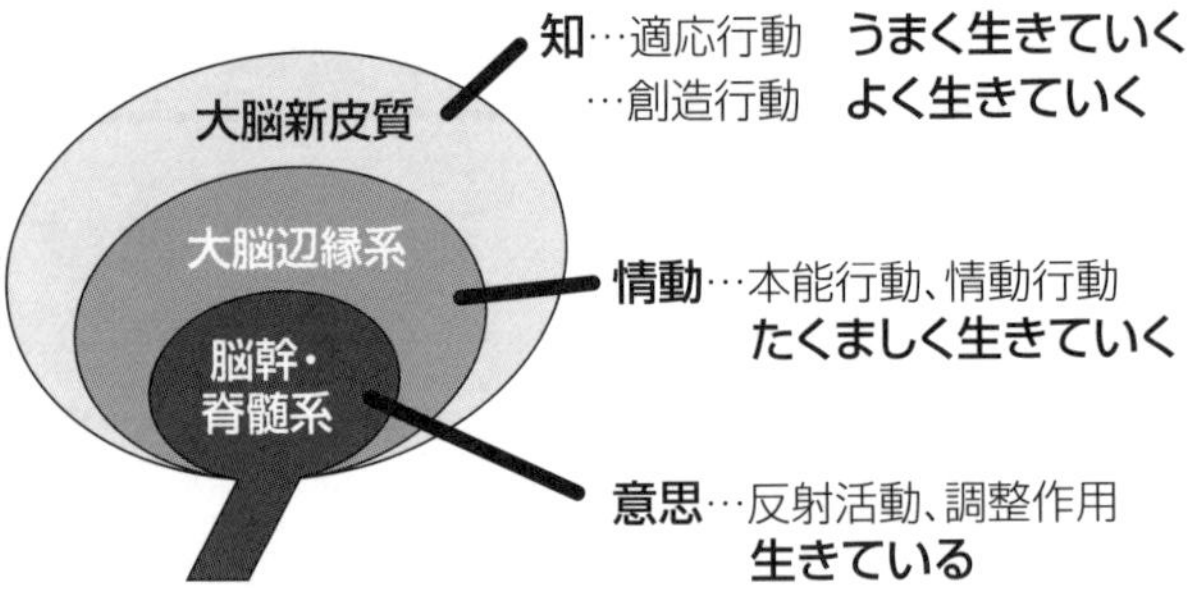
知…適応行動　うまく生きていく
…創造行動　よく生きていく
大脳新皮質
大脳辺縁系
情動…本能行動、情動行動
たくましく生きていく
脳幹・
脊髄系
意思…反射活動、調整作用
生きている

このように見てくると、大脳新皮質はコンセプチュアルスキルの、また大脳辺縁系はメンタルマネジメントのベースになっており、それぞれ違った機能を担っていることがわかります。

第3章
自己イメージの重要性

3-1 自己イメージとは何か

人は誰でも自分のことは自分が一番よく知っているつもりでいます。自分が思ってもいなかったことを他人に言われると怒りだすことさえあります。それは、自分なりに心に抱いている「自己イメージ」というものがあり、それと違ったことを言われると違和感を生じ、大きく違えば「とんでもない」ということになるからです。

この自己イメージは過去のさまざまな経験、たとえば成功や失敗、勝利や挫折さらには他人からの評価などの産物で、自分に対する評価や判断を含みます。上手く表現できないまでも、「これが自分だ」というものを自分の実感として持っていますが、普段これらを意識することなく日常生活を送っています。この自己イメージがあるからこそ、改めて自分は何者なのかということを考えることもないのです。

自己イメージは他人の評価の影響を受けますが、大人になってからは、主に自分自身との「自己対話」が自己イメージを作ります。

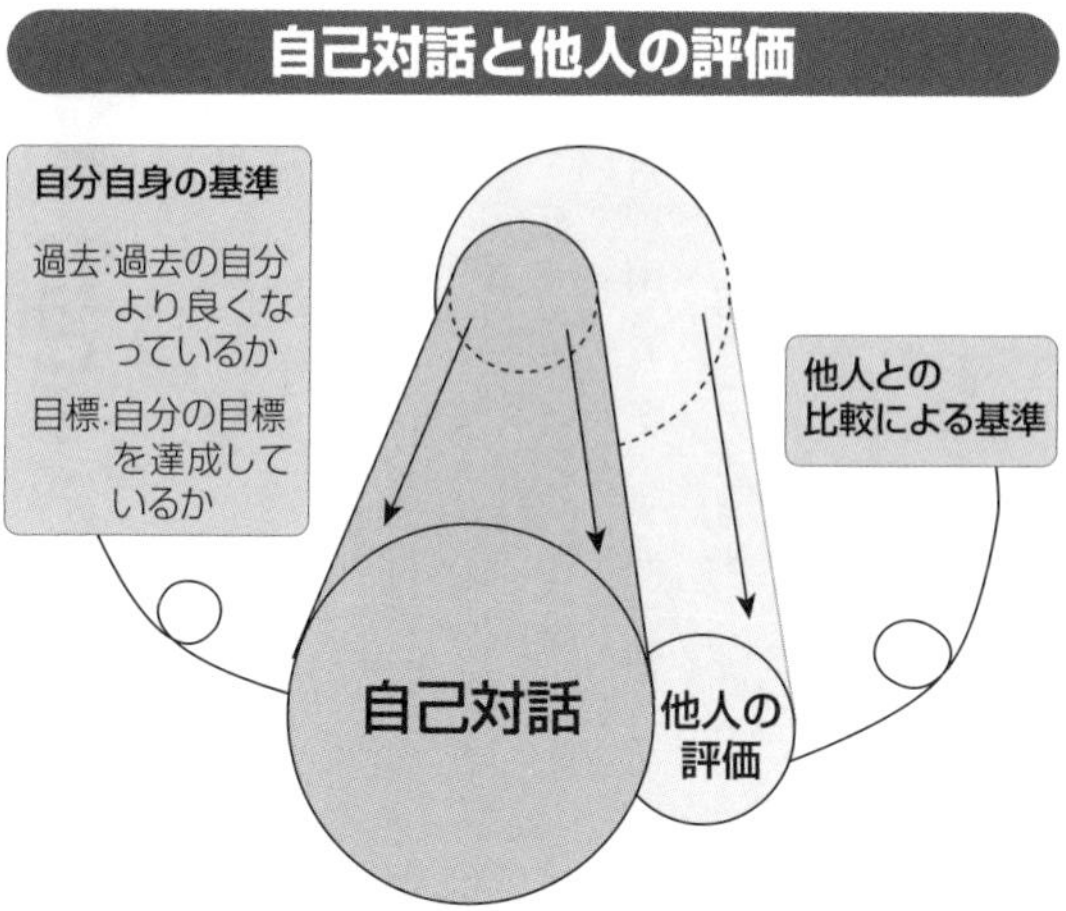
自己対話と他人の評価
自分自身の基準
過去:過去の自分より良くなっているか
目標:自分の目標を達成しているか
他人との比較による基準
自己対話
他人の評価

「対話」という場合、普通は話しかける相手が必要になりますが、相手が他の人ではなく自分自身である、つまり自分と対話することを「自己対話」といいます。このような回りくどい言い方をしなくても、それは「考える」ということそのものです。何回も同じことを考えているうちに、それは思い込み信じ込むことになり、その人の真実として潜在意識に刷り込まれることになります。つまり、他人の目にどのように映ろうが、「これが自分だ」と思っている自己イメージができあがることになります。

3-2 自己イメージの重要性

快適ゾーン

自己イメージは自分の目標を設定する際に非常に重要になってきます。自己イメージの認識・修正が上手くいかないと環境の変化に適応できず、知識やロジックが通用しなくなり、思い通りの結果を出せないことがあります。自己イメージの認識・修正が上手くいかなくなる理由として、人間は慣れの動物であるということがあげられます。つまり、成功し続けているとそれがあたりまえになり、行動も習慣的になり、何の疑いもなく今までどおりの行動をとろうとし、変化に抵抗しようとします。つまり、心の中に「快適ゾーン」という居心地のよい領域ができあがり、そこから出て行こうとしなくなるのです。

一つ例をあげてみましょう。月平均4件の保険を売るセールスマンの話です。この人は、過去何年もだいたいこのペースで保険を販売してきましたから、これが自分の実力だ（自己イメージ）と思っています。この人は、月の3週目までに1件も売れない時がある

快適ゾーン

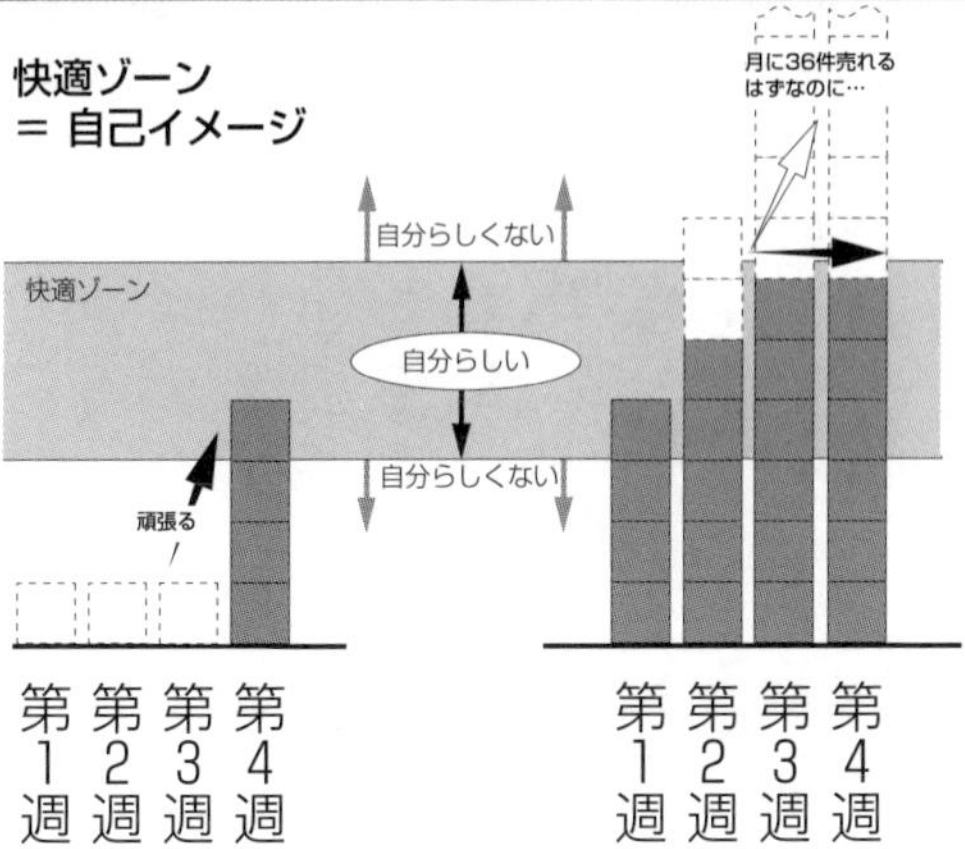
快適ゾーン
＝ 自己イメージ
月に36件売れる
はずなのに…
自分らしくない
快適ゾーン
自分らしい
自分らしくない
頑張る
!
第1週
第2週
第3週
第4週
第1週
第2週
第3週
第4週

と、最後の週には4件売るため、がむしゃらにがんばるでしょう。ところが、1週目に4件売れてしまうと、すでに快適ゾーンの中にいるため、2週目以降はペースを落としてしまいます。そのままのペースで月16件売るのは「自分らしくない」と思うからです。6件売れた場合でも、マグレだと思い2件を翌月に回すことでしょう。

　このように、快適ゾーンは自己イメージと一致します。つまり、自己イメージ通りに行動することがその人にとって快適で居心地がよいためその領域に留まろうとします。その中にいるかぎり、自分が何をしているかあまり考える必要もありません。無意識に行動できるのですから、こんなに楽なことはありません。
　これが世に言う「マンネリ現象」で、早くそれに気づいて脱出しなければなりません。

釜ゆでのカエル

　このような習慣的な行動は、環境が一定で変化しない場合は効果的ですが、環境が変化している時にはかえって非効率的になります。スピードの差こそあれ環境はいつも変化しており、止めることはできません。それどころか、現代では何もかもが変化のスピードを早めていて、せっかく手に入れたスキルを陳腐化させてしまうのです。
　ですから、快適ゾーンの中にいて新しいことをやろうとしない態度でいるかぎり、世の中の変化にはついていけなくなるのです。つまり「過去に成功しているが故に失敗する」というパラドックスが成り立つことになるのです。
　マクスウェル・マルツは、『自分に自信をもて』（三笠書房）のなかで、有名な「釜ゆでのカエル」という表現でこのことを説明しています
　水の入った水槽に生きているカエルを入れ、その水を徐々に熱くしていくという実験があります。問題はカエルがどんどん上がっていく温度を察知し、驚いて水槽から飛び出し

命拾いするのはいつかということです。水は少しずつ、少しずつ熱くなっていったが、あまりにも少しずつ熱が加えられたため、カエルは温度の変化に気づかなかったのです。逃げようと試みることもなく、カエルたちは釜ゆでにされ死んでしまうのです。つまり、温度の上昇があまりにもゆっくりだったために、カエルは水温の変化に気がつかず、それに〝慣れて〟しまったのです。

釜ゆでのカエルになりたくなければ、「快適ゾーン」から出て行く勇気が必要です。

釜ゆでになった例

このような釜ゆで現象は、個人でも組織でもよく見られることです。これを避けるためには、現状に満足することなく、「環境の変化を止められないとしたら、自分自身が変化せざるを得ない」ということに気づき、「快適ゾーンから脱出しよう」と努力することです。

しかし快適ゾーンの外は決して居心地のよいところではありません。それでも、快適ゾーンの外側にある不慣れな領域に思い切って踏み込むことが必要なのです。

別な言い方をすれば、過去の成功体験からの脱却（アンラーニング）ということになります。一度成功するとそれが続くものとついつい思ってしまいがちで、その成功体験から脱却できなかったために失敗した組織の例はいくらでもあります。

・機械式にこだわったため、日本のクォーツ時計にシェアを奪われたスイスの時計業界
・大型コンピュータにこだわったために、パソコンへの進出に遅れをとり、大幅にシェアダウンしたIBM
・β方式にこだわったために、VHS方式との戦いに敗れたソニー

これらの例は、いずれもそれぞれの業界で圧倒的なシェアを誇っていただけに、その後の凋落ぶりも印象的です。これは、成功しているがための「おごり」の感情が新しい流れを読み誤ったという教訓です。これは個人にもあてはまることです。

COLUMN

感情の自己認識の生理学的意味

人間の脳は三層構造になっているということでした。脊髄につながる中心部分に生命を維持する機能をもつ脳幹があり、それを取り囲むように「感じる脳＝情動」の機能をもつ大脳辺縁系がある。そして、その上に「考える脳」としての大脳新皮質がかぶさっている、という構造です。

このうち、大脳辺縁系にある「扁桃核」というアーモンドの形をした神経核が、情動を引き起こす源です。メンタルマネジメントのキーポイントもこの「扁桃核」にあります。

扁桃核は情動と深い関係にあり、情動と結びついた記憶が貯蔵されています。この扁桃核と脳の他の部分、特に大脳新皮質との連絡が絶たれると、ものごとの情動的な意味を把握すること、すなわち自己認識力の中の感情の自己認識ができなくなります。

「重症の発作を抑えるために扁桃核を除去する手術を受けたある青年は、他人に対する一切の関心を失い、ひとりきりで放っておかれるのを好むようになった。他人との会話は問題なくできても、その相手が自分の親友なのか、親戚なのか、母親なのか、認識できなくなってしまったのだ。自分のそんな様子を見て悲しむ人々を前にしても、青年は平然として表情ひとつ変えない。（中略）扁桃核には、情動と結びついた記憶が貯蔵されている。言いかえれば、個人がものごとに付与した意味が貯蔵されているわけだ。扁桃核を失えば、人生から一切の個人的な意味が消失する」（『EQ　こころの知能指数』ゴールマン、講談社）

3-3 変化するということ

人は「変化することは避けられない」ことは認めようとしますが、「自分が変化する」ことには抵抗します。変化は主として自分の外で起こりますが、その変化へ対応するためには、自分の快適な自己イメージから出なくてはいけないことを知っているからです。

人は基本的に自分の習慣や行動様式を変えることを嫌がるものです。特に外部からの強制に対しては抵抗を示します。これは押されれば押し返そうとする潜在意識の働きで、プッシュ・プッシュバック法則とも言います。

そして、自分を変えずに、他人を変えることで変化を切り抜けようとします。しかし、みんなが「自分は変わる必要はない」と思っているのですから、変わる人がいるはずがありません。

結局は自分が変わる必要があるのです。不公平に感じるかもしれませんが、自分が変わ

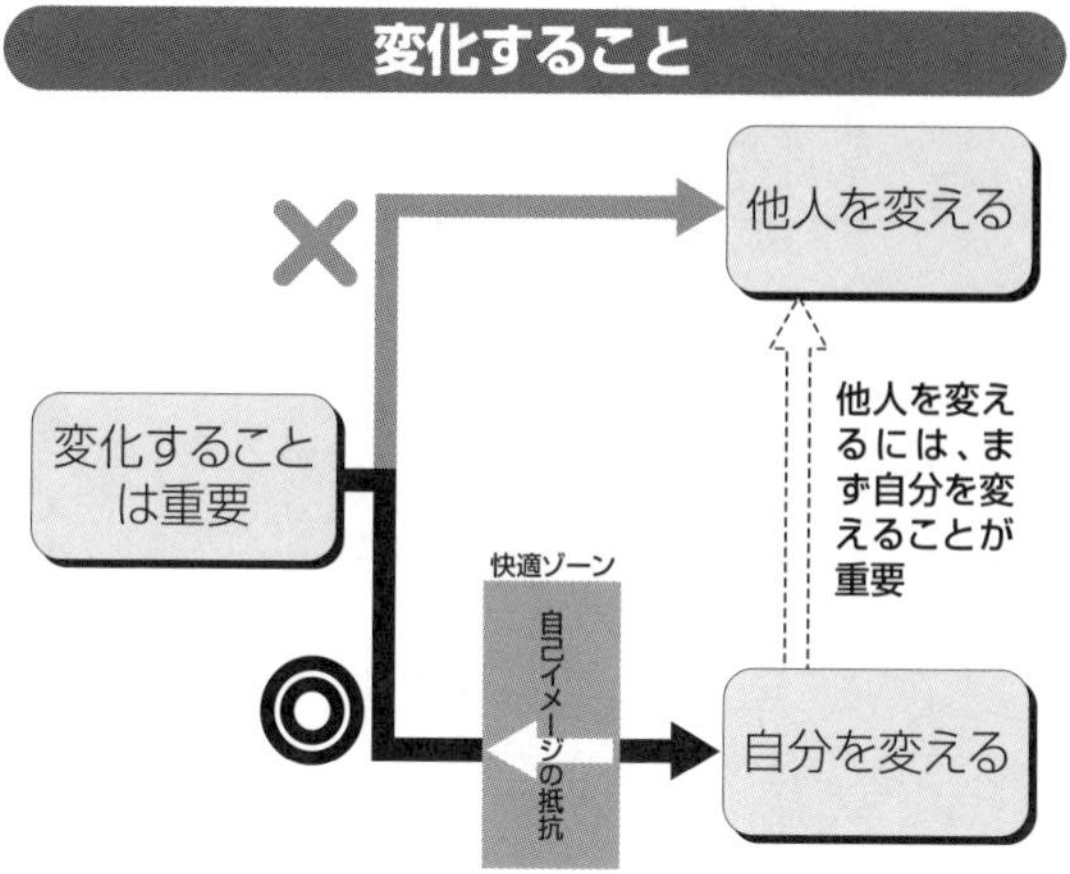
変化すること
他人を変える
変化することは重要
他人を変えるには、まず自分を変えることが重要
快適ゾーン
自己イメージの抵抗
自分を変える

ることが一番効果的なのです。自分が変わることで変わって欲しかった相手も変わってきます。環境も変化します。勇気を持って快適ゾーンから抜け出すことを考えましょう。

それでは、どのようにして快適ゾーンから出ていけるのでしょうか。掛け声だけでも努力だけでもダメです。まず自己イメージを変える必要があります。人は自己イメージの働きで、自分らしく振る舞えるのです。

自己イメージに合うことは何事も簡単にできる一方、自己イメージに合わないことはぎこちなく、居心地の悪いものになります。

次に自己イメージを修正（拡大）することを学びましょう。

3-4 成功者としての自己イメージ

このような過程を経て自己イメージが作られます。したがって、自己イメージは変えることができます。私たちは何か新しいことをやろうとする時は、まず自己イメージを変えなければなりません。ところが、人は自己イメージを変えないまま、「成功したい」とか「上手くやりたい」と自分勝手な願望を持つものです。自己イメージを変えること、それが先決です。

私たちが現在あるのは、過去の自己イメージの「結果」です。そして、現在の自己イメージが「原因」となって将来の自分を作ります。それが嫌なら、自己イメージを変えなければなりません。

よく、大きな成功をおさめた人を見て、「あの人なら成功者の自己イメージを持てるだろう」という言い方をしますが、それは間違っています。

成功者は、成功した瞬間に（結果として）そのような自己イメージを持ったのではあり

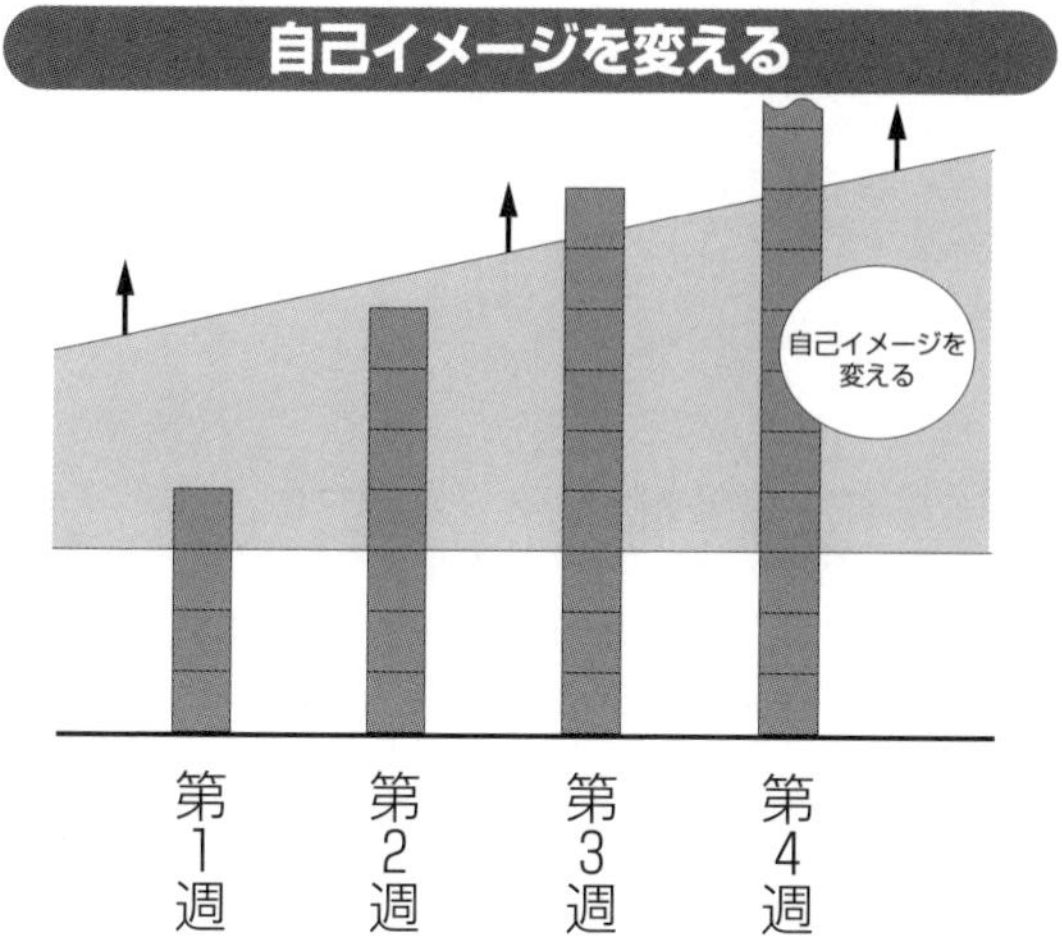

ません。確かに、成功したことで自分の成功者としてのイメージを強固なものにすることはできたでしょう。しかし、その人は成功するずっと前から「自分は成功者である」という自己イメージを持っていたのです。また、持っていないと成功できないのです。

その意味で、将来成功したいと思うのでしたら、成功している自分の姿（自己イメージ）が見えなければなりません。上手くいっている自分の姿が見えなければ、それが実現することはないのです。

COLUMN

セルフコントロール　～情動のハイジャック～

私たちはどんな冷静な人でも、時として感情を爆発させることがあります。通常は感情の起伏があっても、理性によってコントロールしています。ところが、緊急事態が発生すると、情動が理性をハイジャックしてしまうのです。これをゴールマンは次のように説明しています。

「感情の爆発は、神経がハイジャックされたために起こる。大脳辺縁系の一部が緊急事態を宣言し、脳全体を制圧してしまうのだ。辺縁脳によるハイジャックは瞬間的に、思考をつかさどる大脳新皮質が働きはじめるより一瞬早く発生する。そのため、大脳新皮質は事の是非を判断するどころか、全体の状況を把握する暇さえない。こうしたハイジャックは、終わったあと本人にも何が起こったのかよくわからないという点が特徴的だ」。

ゴールマンは次のように続けています。「情動によるハイジャックは、殺人事件のように非日常的な恐ろしい事件ばかりではなく、私たちの日常でもときどき起こっている（非日常的・破壊的でないからといって、ハイジャックの程度が軽いとは限らない）。最近あなた自身が『キレた』ときを思い出してみてほしい。夫婦や親子のあいだで、あるいはどこかのドライバーに対して、怒りを爆発させた記憶がないだろうか。あとで考えてみて、『どうしてあんなに頭にきたんだろう？』というような。それはたぶん、情動によるハイジャックだ。その瞬間、大脳辺縁系の一部で『扁桃核』とよばれる部分があなたの脳を乗っ取っていたのだ」（『EQ　こころの知能指数』ゴールマン、講談社）

この情動のハイジャックを抑えることが自己管理力の中のセルフコントロールになります。

第4章

自尊心の重要性

4-1 高い自尊心を持つ

自分を尊ぶ心と書いて「自尊心」といいます。すなわち、自分を価値ある存在と認める心のことです。

日本では、「プライドが高い嫌なやつだ」「高慢ちきなやつだ」「鼻もちならないやつだ」などと、「やつだ」をつけて悪い意味で使われることが多いようです。しかし、それは正しい解釈ではありません。

自尊心の真の意味は、自分自身を適正に評価することです。つまり過大評価も過小評価もせず、ありのままの自分を適正に評価する謙虚な心を持つことです。この場合の「謙虚」とは、誠実であること、生かされていることを素直に認めて感謝することです。

高い自尊心を持つ人というのは、ありのままの自分を認めた上で欠点を改善し、さらに良くなろうと向上心を持って環境に自分を適用させていこうと冒険を試みる人のことです。その結果、高い自尊心を持つ人の周囲には、多くの優れた人々が集まってきます。

自尊心

	評価基準	自他の関係
高い自尊心	自分で自分を評価	共生 Win-Winの関係
↑	↑	↑
低い自尊心	他人の評価	競争ゲーム Win-Loseの関係 勝ち：優越感 引き分け：負けなくてよかった 負け：劣等感

一方、自尊心の低い人は、ありのままの自分を認めようとしないで、他人を不当に評価したり、けなすことによって自分を維持しようとします。したがって、優れた人も近寄ろうとはしません。

自尊心の低い人は、自分自身の評価基準によらず他人の基準によって自分を評価しようとします。他人との比較で自分の価値を見ようとしますので、他人より優れているという「優越感」と、他人より劣っているという「劣等感」という感情が生まれてくるのです。その結果、常に他人のことが気にかかり、気が休まることがないのです。

4-2 劣等感

エリートの劣等感

エリートの劣等感を例にしてみましょう。エリートの象徴のように見られる東大生が劣等感を持っているといったら驚かれるかもしれません。しかしこれは本当のことです。

彼らは小さい時から成績が優秀で、学校では常に一、二を争ってきた学生たちです。偏差値が高いＩＱ人間の典型です。受験戦争の中でひたすら友人たちと競争し、自負心（自己効力感）のみで生きてきたその学生たちが、いざ大学や職場に入ってみると、自分より頭の良い人間がいっぱいいるのを見て、一様にショックを受けることになるのです。そして、一番でないと気がすまない自分が、そうでない自分を許せなくなるのです。彼らにとって二番は落ちこぼれなのです。世間ではぜいたくな悩みというでしょうが、当人たちにしてみれば、深刻な悩みなのです。

これは、評価基準を自分以外のものに求めたために起こってくる現象です。

自尊心の低い人の根底にあるのは、自分が別の誰かであればよいと思っていることです。彼らの言い分は「もっと頭の良い子に生まれてきていたら」「億万長者であったらよいのに」「あと10歳若かったら」「もっと美人に生まれてきていたら」などと、自分にないものねだりをして、ありのままの自分を認めることを拒否しているのです。

自分の容姿、学歴、家柄、さらには親の職業などを持ち出して、自分の実力以上のイメージを与えようとする（優越感）ことも、自分の欠点や弱点にこだわり、そのために自分はいつも上手くいかないという思い（劣等感）も、いずれも評価基準が自分の外にあるのです。

劣等感の克服

劣等感の素地になるものは誰でも持っています。それを自覚しているのは、自己認識力があり正常なことで、正確な自己イメージを持っているということです。自尊心の高い人は自分の欠点や弱点を素直に認め、それを克服しようと努めます。つまりできなくても卑下しないでそれを受け入れるのです。自分自身を正確に見つめ、誰にも欠点はあるものだということを知り、自分にできることとできないことをわきまえることが大切です。

日本ではブランド品や高級品を身につけたがることを自尊心の高いことの代名詞のよう

に説明されますが、これは間違っています。本人は自分を「ひとかどの人間」に見せたがっているのでしょうが、それは自分に確信が持てないことの裏返しにすぎません。

自尊心の高い人は、自分を控えめに表現するものです。自分で自分を認めればよいのですから、他人に自分をひとかどの人物であると認めてもらう必要はないのです。自分を外に向かって表現する時は、「実るほど頭が下がる稲穂かな」と控えめになります。

自尊心の低い人が安心を手に入れるためには、評価基準を他人から自分の手のうちに取り戻す以外にありません。そうしなければ、その人は他人の物差しで自分を評価し、他人の基準に達しない自分を受け入れることができず、自分にないもののねだりを強いることになるのです。

他人を気にしないで、等身大の自分の人生を生きようと決心すれば、劣等感は飛んでいってくれます。

評価基準を自分の手に取り戻す

	失敗 欠点／弱点	対応
自尊心の高い人	認める	・できることとできないことをわきまえる ・欠点を克服しようと努力
自尊心の低い人	認めない	・他人を不当に評価したり、けなすことで自分を維持

「もっと頭が良く生まれていれば…」

対策

評価基準を他人から自分に移す。
（自分のモノサシで等身大の自分を評価する）

4-3 自尊心と自負心（自己効力感）

自尊心に似た言葉として「自負心」があります。辞書を引くと、「自分の才能に自信や誇りを持つ心」とあります。自尊心が自分自身に対する信頼感であるのに対して、自負心は自分の能力に対する信頼感です。

つまり自負心とは、「自分が努力すれば環境や自分自身に対して好ましい変化を生じさせることができるという自信」のことで、「自己効力感」とも呼ばれます。

自負心は自分の能力に対する信頼感ですから、時として揺らぐことがあります。人は新しいことに出くわしたり、手がけたりするわけですから、上手くいかないこともあります。場合によっては、自分より能力のありそうな人と競争しなければならないことだってあります。そのような時に自負心は揺らぎます。

しかし、「高い」自尊心は揺らぐことはありません。自尊心の中心には、自分自身に対する肯定的な見方があります。自尊心は他との比較や条件がつかない絶対的な思いですから、

自尊心と自負心

	高い自尊心	高い自負心
信頼感の対象	自分自身	（自分の）能力
失敗したときの状態	自分自身に対する信頼感（肯定的な見方）は揺らがない	その能力に対する信頼感は揺らいでしまう

→ 再チャレンジ（足りない能力をつける）

上手くできないことがあっても簡単にはぐらついたりはしないものです。

自分自身に確信を持っている人は、たとえあることに失敗しても、次回にはきっと上手くやれると思えます。したがって、自分に対する自信を喪失することはありません。

しかし、自尊心が揺らげば、自負心もぐらついてしまいます。自分に対する信頼感が崩れれば、その上に構築されるものはすべて崩れてしまうのです。自尊心あっての自負心であり、その逆はありえません。

4-4 自尊心の敵

恐怖感

自尊心の敵は恐怖心と無力感です。

ここでは、不安を未知のものに対する恐怖心と定義して、まとめて恐怖心とします。それも失敗に対する恐怖心です。これは、明らかに大脳辺縁系が発する情動（EQ）の働きです。

人は恐怖心があると、自分の能力を行動に表すことができなくなります。通常は、多少まずいことがあっても、自分に対する自信、信頼感は簡単にぐらついたりはしません。しかし、失敗を恐れていると、仕事やスポーツの試合などで、自分の力を発揮していこうという自信が持てなくなってしまいます。そして、自分の能力に比べ、状況はますます困難に見え、自分に対する自信がもてなくなります。

すなわち、恐怖心があると、ものごとは実際以上に困難に見えてくるし、一方、自分は

自尊心の敵

恐怖感
（失敗に対する恐怖感）
→ 以下の3点について考えてみる
① 最悪の場合どのようなことが起こるか?
② 起こる可能性はどれくらいか?
③ どんな影響があるか?

無力感
（←→自負心）
→ 評価基準を自分の中に持つ
＝
自尊心を高くする

実際以上に無力に思えてくるのです。この悪循環を断ち切るには、次のような現実的なチェックが必要です。

①最悪の場合どのようなことが起こるか？
②起こる確率はどれくらいあるか？
③起こることでどんな悪影響があるか？

この3点について冷静に予想してみます。ほとんどの場合、状況は思ったほど悪くはないことがわかります。そして、心が落ち着いてきて恐怖心から解放され、安心して行動に移ることができ、自信も回復してきます。

無力感

無力感とは、「ある一つのことをやって上手くいかないと感じるだけでなく、何をやっても上手くいかないと感じ、そのためにやる気を失っている状態」と定義できます。その意味で、無力感は自負心（効力感）の反対概念といえるでしょう。

私たちは、効力感を持っているかぎり、いろいろなことにチャレンジしようという気になりますが、無力感に陥ると何もやる気が起こらなくなります。たとえば、学生の多くに見られる三無主義（無気力、無関心、無感動）や、企業人に見られる燃え尽き症候群、定年退職者に見られる急な老け込みなど、このような例はいくらでも見つけられます。

さらに、成人の4人に1人は軽度のウツ病にかかっていると言われるように、私たちの周囲には無力感にさいなまれている人々がいくらでも目につきます。これらの人々に共通しているのは、原因はどうであれ「何もやる気が起こらない」という心理状態です。

これらの人は、「努力しても無駄だ」という思いが先行し、決して新しいことにチャレンジしようとしません。今やっていることがどんなにつまらなくても、一歩を踏み出そうとはしません。この停滞期間が長く続くと、「目標の喪失感」さらには「生きがいの喪失感」が強まり、精神的な泥沼にはまっていくのです。

COLUMN

セルフコントロール　～マシュマロテスト～

ゴールマンはEQを定義したあとで、衝動を抑制する能力と関係のある「マシュマロテスト」と呼ばれる興味ある話を紹介しています。

4歳の子どもたちの前にマシュマロを1個ずつ置いて、実験者が次のように言って部屋から出ていきます。

「おじさんはこれからちょっとの間お使いに行ってくるので留守をします。その間マシュマロを食べてもかまわないよ。でも我慢して食べずにおじさんを待っていてくれたら、もう1個あげるよ」

結果はどうなったでしょうか。子供たちの3分の1はすぐに手を出して食べ、我慢してマシュマロ2個を手に入れたのも3分の1でした（残りの3分の1は、我慢しようとしたが結局食べた）。そして、これらの子供たちが14年後の18歳にどのような青年になったか、追跡調査されました。

「誘惑に耐えることのできた子は、青年になった時点で情緒は安定し、高い社会性を身につけていた。対人関係能力にすぐれ、きちんと自己主張ができ、人生の難局に適切に対処できる力がついていた。そして何よりも他の子供たちと比較して、学業の面でもはるかに優秀なことがわかった。一方、マシュマロにすぐ手をのばした3分の1の子供たちは、情緒的に不安定で、強情な反面優柔不断で、小さな挫折にも心の動揺をみせる。自分のことを『ダメ』な人間と考える傾向がある。そして、学業成績もよくない」。

この結果に対して、ゴールマンは衝動を抑制する能力について「この能力は、学校の成績や社会に出てからの対人関係を含む社会性、能力発揮にいたるまで、あらゆる努力の基礎となる」と結んでいます。

マシュマロテスト（追跡調査報告）

	情緒安定性	社会性	学業成績
我慢して2つ手に入れた子	安定している	対人関係・挫折に強い	意欲も成績も高い
すぐ食べてしまった子	不安定である	強情・優柔不断・挫折に弱い	意欲も成績も低い

4-5 目標を定める

恐怖感や無力感から抜け出すには、「目標の設定」が一番効果的です。どんな困難な状況にあっても、生きていく上で、人には「自分にはまだやることがある」という思いが必要なのです。そして、その思いを追求することにより効力感が回復し、否定的感情から逃げないで、自分の人生のハンドルを握れるようになるのです。

フランクルも、『夜と霧』（みすず書房）の中で、アウシュビッツで生きのびることができた体験を次のように述べています。「彼自身の未来を信じることができなかった人間は、収容所で滅亡していった。未来を失うと共に彼はそのよりどころを失い、内的に崩壊し、身体的にも心理的にも転落したのであった」。

また、マクスウェル・マルツは、いみじくも次のように言っています。

「むなしく日々を送っている人には、目標がない。むなしいのは毎日の出来事に関心がないからだ。もし自分は何ごとにも無関心だと思うなら、それを乗り越えることだ。私の人

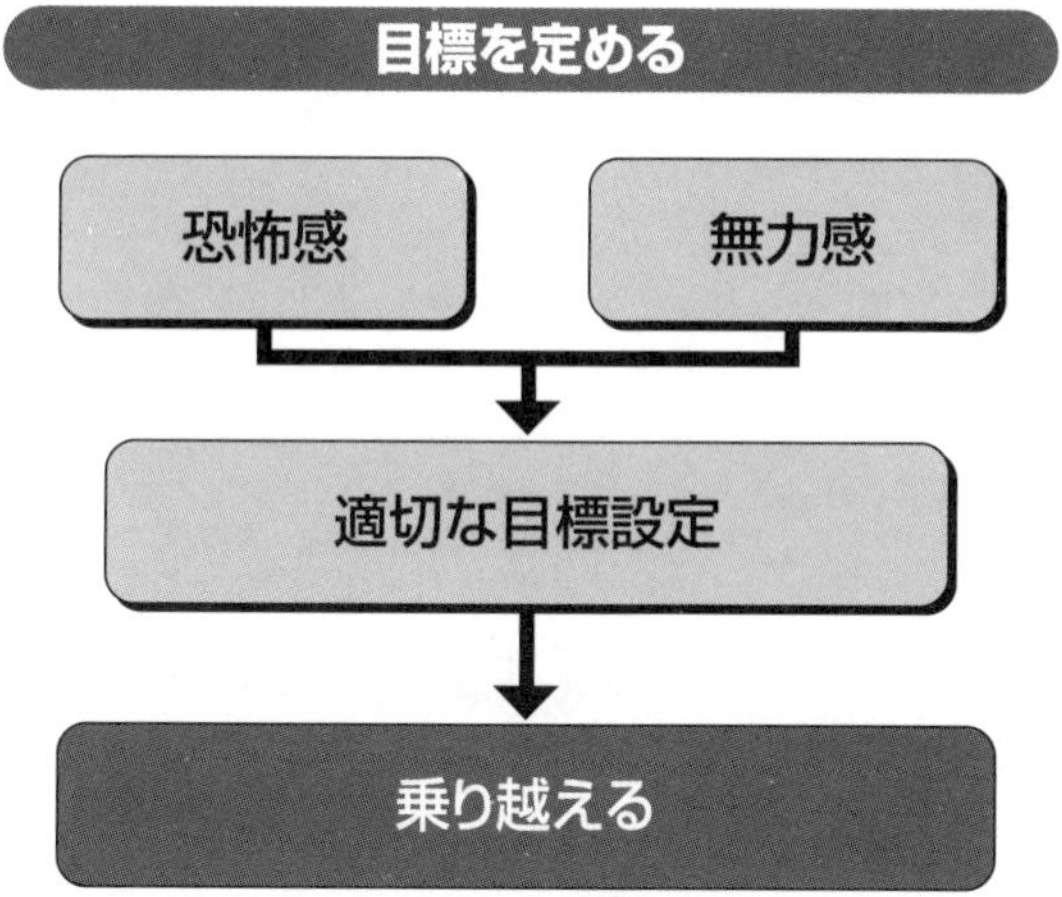
目標を定める
恐怖感
無力感
適切な目標設定
乗り越える

生を意義あるものにしよう。大切な時間を無駄にはしないぞ。目標を立てて、貴重なこの人生を有意義にすごすのだ」。

「紙と鉛筆を用意する。目標を一つ考えて、それを書くのだ。そうしたら、それについて判断を加える。自分にとって意義あるものか、達成可能か、少しは達成の可能性があるか、と。そして、自分の人生の目標が見つかるまで、目標を書き続け、考え続けるのだ」。

次章以降では、目標をどのように設定すればよいのか、また目標を達成するにはどうしたらよいのかを具体的に見ていきます。

COLUMN

能力を封じ込める4つの要因

人間の能力を封じ込める要因を「HABE＝ハーベ」と呼んでいます。これは次の4つの言葉の頭文字をとったものです。

Habit（習慣）……昔ながらの習慣に頼り、新しいことを避けようとする
Attitude（態度）……目標や課題に対して消極的になり、できない理由を探そうとする態度
Belief（信じ込み）……固定観念や思い込みが強く、なかなか柔軟な考え方がとれない。また、努力しているかぎり、成果がでなくても仕方がないと考える
Expectation（期待）……自分にはこれくらいのことしかできないという低い期待感（自己イメージ）

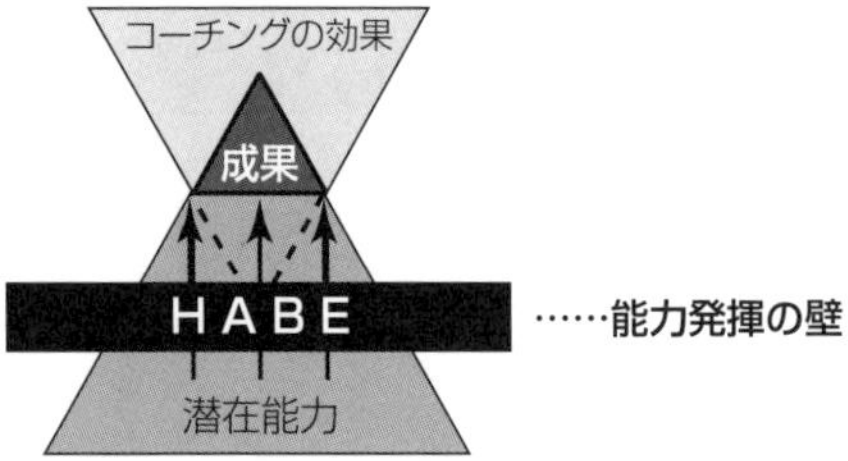
コーチングの効果
成果
HABE
潜在能力
……能力発揮の壁

「あなたの職場の中で、能力がありながら持てる力を発揮していないという人の顔を思い浮かべ、なぜそのように判断するのか、その理由をあげてください」と問いかけると、出てくる答えはだいたいこの4つに集約できます。知識不足とかスキルが未熟だということはほとんど指摘されません。つまり、この4つの壁が人の能力発揮を妨げているのです。

現状維持型の典型的なタイプが多い組織では、今までのやり方に固執して変化についていけず、沈滞ムードが漂い、業績もよくないというのが一般的です。この壁を突破するには、自分のやりたいことを目標として掲げ、ポジティブシンキング的な生き方のなかで、自分と他人に期待することが必要です。

第5章
目標設定と達成について

5-1 目標を定めることの重要性と具体的な方法

自己メンタルマネジメントの最後に、具体的にどのような目標を立てることが必要か、目標達成するためにはどのようなテクニックがあるのかを見ていきます。

ここでもう一度、目標を定めることの重要性を確認しておきましょう。目標を定めなければ、達成意欲を持つことができず、知識とロジックがあってもそれを活かそうとすることができません。ポジティブシンキングというのは目標の追求に挫折した時でも、前向きさを忘れず自分自身を励ます能力でしたが、追求すべき対象としての目標がなければポジティブシンキングをする意味すらないのです。また、目標を定めることで恐怖心や無力感から抜け出せることができ、高い自尊心を持つことができます。最終的には向上心を持って生きていけることにつながっていきます。

会社や政府、団体など、組織は必ず経営目標なり事業目標を設定するのに、個人の場合は目標を設定し自分のやるべきことを計画するのは一握りの人だけのようです。

目標設定の必要性について、ルー・タイスは『望めば、叶う』（日経BP社）の中で興味ある調査結果を紹介しています。

「こんな例がある。一九五三年のエール大学卒業生を対象とした調査だ。学生たちに、彼ら自身についていろいろ質問したのだが、その中に目標に関する質問が3つあった。『あなたは目標を設定していますか？』『その目標を書きとめてありますか？』『目標を達成するための計画がありますか？』全部の質問にイエスと答えたのは、学生の3％にすぎなかった。20年後、追跡調査が実施された。その結果、目標設定に関する質問にイエスと答えた3％の学生は、残りの学生に比べて幸せな結婚をし、選んだ職業でも成功し、家庭生活にも満足し、健康状態も良好だった。それだけではない。五三年卒業生の総資産の97％は、この3％の手に集中していたのだ。」

目標達成のための具体的な方法

後述の自己宣言（アファーメーション）は目標を設定した後、実際に目標を達成するための意欲を掻き立てるためのテクニックです。目標は単に作るだけでなく、書くことがいかに大切かは前述『望めば、叶う』の例からもわかると思います。また後述する脳の活性化ネットワークシステム（高い目標を掲げそれを達成しようという強い動機が起こる際の脳の仕組み）や認識の不協和（目標を設定した後、環境に適応するために目標を合理的に修正していくためのテクニック）は、このテクニックの有効性を証明するものでしょう。

時間の有効活用

仕事のできる人は、目的を明確に持っています。目的を持つことがなぜ重要なのでしょうか？　それは目的があってはじめて仕事に優先順位をつけられるからです。何を優先し、何を捨てるかを正しく判断するには、明確な目的意識が必要です。このことを仕事にあてはめて考えてみましょう。

仕事は一般的に、重要度（縦軸）と緊急度（横軸）によって次のように分類できます。両方ともに高い仕事（第Ⅰ分野）は、誰もが真っ先にするものですが、問題はどちらか一方だけが高いものです。どちらを重視するかで、仕事の成果は大きく違ってきます。

一般的には、人は緊急度が高いことを優先しますので、急いで行う必要があると自ら判断したことを手がけます。ところが、ここには次のような2つの落とし穴があります。

仕事の優先順位

		緊急度	
		急ぐ	急がない
重要度	重要	Ⅰ	Ⅱ
	重要でない	Ⅲ	Ⅳ

①重要度が低いにもかかわらず、緊急度が高いという理由で第Ⅲ分野のことで時間を割いてしまう。

②緊急度は低いが、重要度が高い第Ⅱ分野のことを後回しにしてしまう。

これに対して、できる人というのは、重要度の高いことを優先しますので、仕事が山ほどあってもそれに優先順位をつけます。その結果、第Ⅲ分野を後回しにして第Ⅱ分野を手がけます。つまり、できる人は目的志向の考え方をして、「いま何をする必要があるか?」を見極めようとしますので、時間の有効活用ができるのです。

5-2 自己宣言（アファーメーション）

古来「思ったことは実現する」と言われて、成功法則として語り継がれてきました。これを信じるかどうかは別として、これは真実の半分しか伝えていません。思わないと実現しませんが、思っただけでは実現しないのです。思っただけで都合よく望みが叶うのなら、誰も苦労しません。どんなに強く思ってもそのとおりにならないから人生はままならないのです。

そこで必要になるのが、思ったこと（目標）を一定の方式で書くことです。

ここで重要な点は、人は自分が経験したことはすべて潜在意識に記憶しますが、実際に体験しないことでも潜在意識が受け入れる条件があるということです。それは、図中のような公式で表すことができます。

アファーメーション①

心に生き生きと鮮明にイメージしたものは、
実際に体験しないでも潜在意識の中に
現実として刷り込まれる

イメージ (Image) × 生き生きとした鮮明さ (Vividness) ＝ 潜在意識の中の現実 (Reality sub-consciousness)

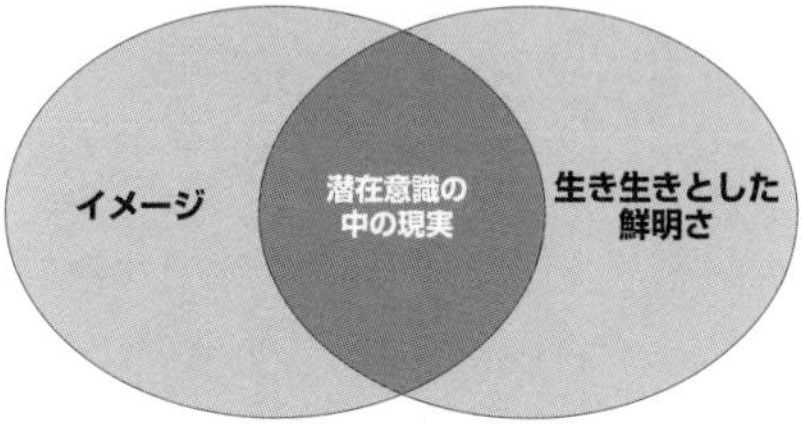

この式の意味は、心に生き生きと鮮明にイメージしたものは、実際に体験しないことでも潜在意識の中の現実として刷り込まれるという意味です。

つまり、心に描いた鮮明なイメージは実際の体験と同じように自律神経を刺激します。そのため、私たちの身体は実際の体験とイメージを見分けることができないのです。

たとえば梅干しを見ないで心の中で食べている姿を想像しましょう。すると、無意識に梅干しのイメージに反応して唾液が出てきます。目標もこのレベルで思うことが潜在意識にとっては大切なのです。

5-3 アファーメーションの具体例

潜在意識が本当にあったこと、つまり事実と心にイメージしたものの区別がつかないという原理を利用して、次のように生き生きと表現します。

・私は快晴のオーストラリア上空にいて、グライダーの操縦桿を握りしめ、風と機体の軋む音を聞きながら旋回を続けている。

・私は、毎日率先して「おはよう」と大きな声で挨拶しています。職場にはさわやかで溌剌とした空気がみなぎり、仕事の能率も上がっています。

潜在意識にこのようなイメージを刷り込めるのは、次のイメージだけです。

①第一人称（自分のこと）であること

②現在形であること
③経験している実感をともなうこと

つまり、自分でこうありたいと思っている大切なことを、あたかもそれが達成されたかのようにリアルにイメージとして描くことができれば、潜在意識はそれを受け入れて、達成しようとするのです。「経験している実感をともなう」というのは、イメージに生命を吹き込むという意味です。繰り返しアファーメーションを読み、目標が達成された時に生じるはずのすばらしい感動を自分のうちから引き出せば、「こうありたい」という理想の「自己イメージ」が「古い自己イメージ」に置き換わっていきます。そして、新しい自己イメージを実現していくのです。

アファーメーションを書いて、それを何度も繰り返し読み上げていると、はじめのうちはなんとなく違和感があっても、だんだんとそれがあたりまえのように感じてきます。つまり、気持ちの上では、すでにそれを実現している気になるのです。

感動を表す英語はemotionですが、これはe+motionと分解されます。すなわち、「行動を引き出す」という意味で、この状態になれば、脳の成功メカニズムが自動的に働きだし、行動が開始されるのです。

実際のアファーメーションの効果も方法によって次のようになると一般的に言われています。

①アファーメーションを読むだけ・・・10％の効果
②読み、かつイメージする・・・55％の効果
③読み、イメージし、かつ想像体験する・・・100％の効果

ここでいう100％の効果とは必ず実現するという意味ではなく、③を100とした場合の効果がそれぞれ10％、55％の効果になるという意味ですが、イメージして想像体験することがいかに大きな効果を生むかということがわかります。

いずれにしても、アファーメーションを続けると、それをしない場合に比べ、実現する可能性は一段と大きくなります。

アファーメーション②

潜在意識に生き生きとしたイメージを刷り込むには

① 第1人称であること

② 現在形であること

③ 経験している実感をともなうこと

私は①快晴のオーストラリア上空にいて、
グライダーの操縦桿を握りしめ③、
風と機体の軋む音を聞きながら③旋回を続けている②。

アファーメーション③

アファーメーションの効果

（③を100とした場合の効果）

① 読むだけ	10%
② 読み、イメージする	55%
③ 読み、イメージし、想像体験する	

5-4 脳の活性化ネットワークシステム（RAS）

高い目標を掲げ、それを達成しようという強い動機があれば、RAS（脳の活性化ネットワークシステム：Relicular Activating System）が働いて、それを実現していきます。この点について説明しましょう。

ルー・タイスによれば、人間の神経システムの中には網様体賦活系と呼ばれる「自分にとっての重要度に基づいて、遮断する情報と受け入れる情報をふるい分けるシステム」が組み込まれているといいます。これがRASの正体です。

たとえば、若い夫婦に赤ちゃんが生まれたとしましょう。深夜、3人ともぐっすり眠っています。上空をジェット機が飛ぼうが、外をトラックが走ろうが、目を覚ましません。しかし、突然赤ちゃんがむずかりだしたらどうなるでしょうか。母親はすぐに目を覚まし、赤ちゃんの世話をします。父親は熟睡したままです。

ルー・タイスはこの現象を次のように説明しています。

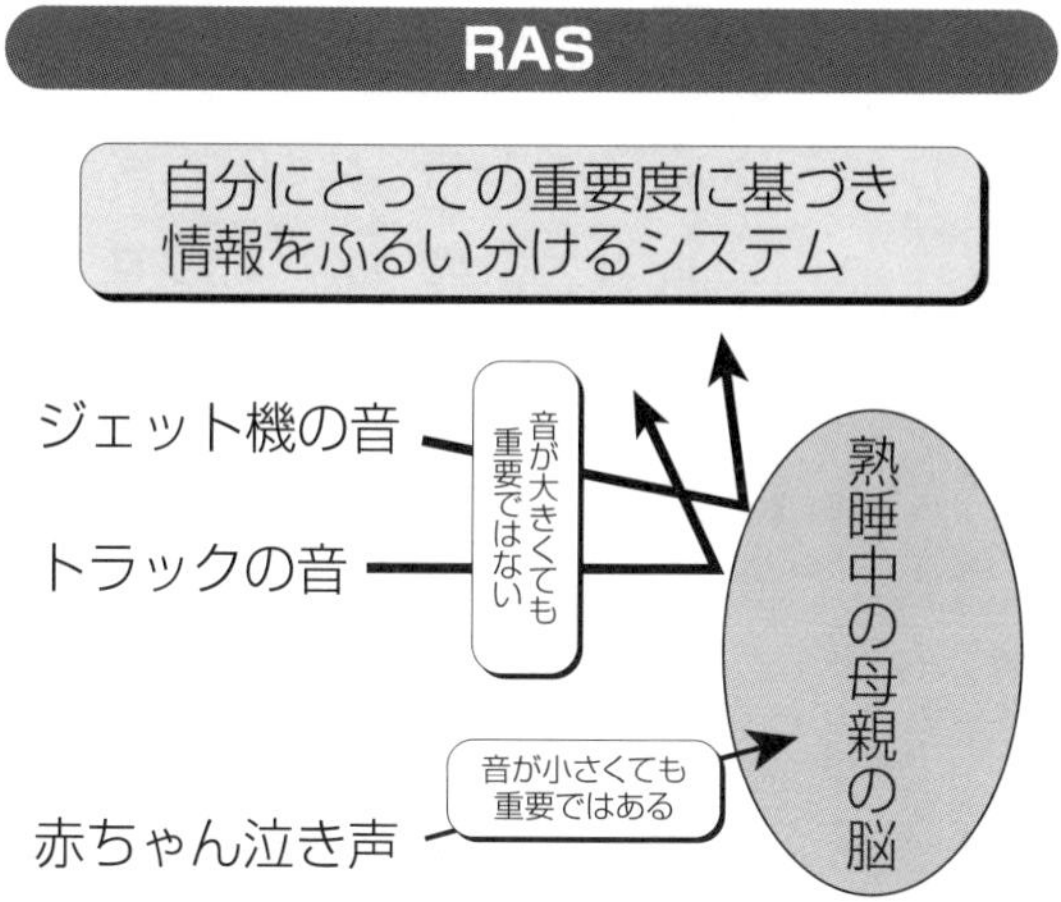
RAS
自分にとっての重要度に基づき
情報をふるい分けるシステム
ジェット機の音
トラックの音
音が大きくても
重要ではない
熟睡中の母親の脳
音が小さくても
重要ではある
赤ちゃん泣き声

「母親が目を覚ましたのは、赤ちゃんの声がジェット機やトラックの騒音より大きかったからではなく、彼女にとって重要だったからだ。父親が目覚めないのは、赤ちゃんが起きたら母親が世話をするという了解があるからだ。役割が変われば聞こえるものも変わってくる。今のところは、父親のRASはある種の音を遮断し、母親のRASは小さくとも重要な（赤ちゃんの泣き声）を受け入れている」。

この例からもわかるように、自分にとって大切な目標を決めると、それまで見えなかった情報や資源が見えてくるし、説明のつかない直感が働いてくるようになるのです。つまり、目標を設定する段階であらかじめそれをどのように達成するか方法を知る必要はないということになります。

このことを知っていれば「現在の知識の大きさしかない箱の中」で目標を決めることに縛られず、自分にとって大切な目標をまず設定する重要性がわかるでしょう。まず大きな目標を設定すれば、ＲＡＳの働きで方法は見つかるのです。


これは心理学的に「裏づけのない信念」と言われるもので、そのプロセスは新しいアイディアを出す時に誰もが経験していることです。たとえば難問にぶつかり真剣に考えたが、どうしても良いアイディアが思いつかないということはよくあることです。こんな時、他のリラックスすることをしていて、フッとアイデアが浮かんでくる。そんな経験をしたことがあるでしょう。顕在意識では考えるのをやめても、潜在意識では継続的に考えていて、ある時フッとひらめくのです。これを心理学では「イルージョン」と言います。

目標を持てばそれと同じことが起こるのです。大きな目標に取り組む時、それを達成している自分の姿を生き生きとイメージできれば、それに関するいろいろな情報が集まり、実現に向けた行動が起こるのです。自分の「脳」を信頼し、自信を持って大きな目標に挑戦しましょう。

目標達成のプロセス

◎	×
達成時のイメージを 鮮明に描く ↓ どうしたらよいか考える （見つからない） ↓ **簡単には見つからない 継続して考える** ↓ **達成**	どうしたらよいか考える （見つからない） ↓ **目標を下げる （妥協）** ↓ **不達成**

大きな目標を達成するには

一般的に、私たちが大きな目標を立てると、次のような疑問が浮かんできます。

①何が起こるのか
②どうしたらよいか

この2つのことは切り離せないはずなのに、私たちは①の疑問をいい加減にしたまま、②の疑問に飛びついてしまいがちです。ところが大きな目標を設定した時は、そう簡単に方法論が見つからないのが普通です。そして方法論が見つからないと、目標を下げて現実に近づけてしまいます。これを「妥協」と言いますが、これをやってしまうと決心も揺らいできます。そして、「もともと目標が高すぎたのだ」と言い訳をするのです。

そのような時に必要なことは、「自分は方法論が見つからないほど大切な目標を実現しようとしているのだ」「目標を達成した時どうなるだろう」「現実と目標のギャップは何だろう」と思うことです。

私たちは、この目標に到達した時のベストの状態を「ベスト・オブ・ベスト」という言い方をします。達成した時に周囲の環境がどのように変わっているか、どのような景色が目に映り、どのようなことを感じるか。できるかぎり具体的に描くことが大切です。

革新的な目標を実現する第一歩は、成功した姿を強く心に思い描くことです。その上で「ベスト・オブ・ベスト」と「現実」との間に、どのようなギャップがあるか検討することです。それを繰り返しイメージしていると、ＲＡＳのプロセスが働いて方法が見つかり、結果として目標を実現することになるのです。

COLUMN

「思い込み」がミスを招く

人はものごと（仕事）に慣れてくると、てきぱきと処理できるようになります。慣れるということは、習慣的に行動するということです。つまり、意識していたことが無意識のうちにできるようになるのです。

このことには良い面と悪い面がありますが、多くの場合良いほうに作用します。なぜなら、判断業務がともなわないパターン化された仕事は、気を使わないで自動的に処理するほうが能率も上がり、成果も一定水準のものが期待できます。

しかし一度上手くできるようになると、なぜ自分が上手くできるのかを考えることが少なくなります。したがって、そこに違うパターンが入り込んできても、いままでと同じパターンで処理してしまうということが起こってきます。これが悪い面です。

つまり、私たちは「これが真実だ」と思い込んでしまうと、それに固執して「それ以外のことが見えてこなくなる」のです。このことを「スコトマ」（心の盲点）と言います。かなりの経験をしたベテランといわれる人の場合でもこのようなことは起こるのです。

新人の場合は、仕事をするにあたっていろいろ気を使いますし、先輩や管理者がチェックしますので、多くの場合、ミスは未然に防ぐことができます。ところがベテランの場合は、本人も含めて「ミスを犯すはずがない」と思い込んでいますから、チェックも入らずミスにつながりがちです。

したがって、誰かがスコトマバスターになる必要があるのです。

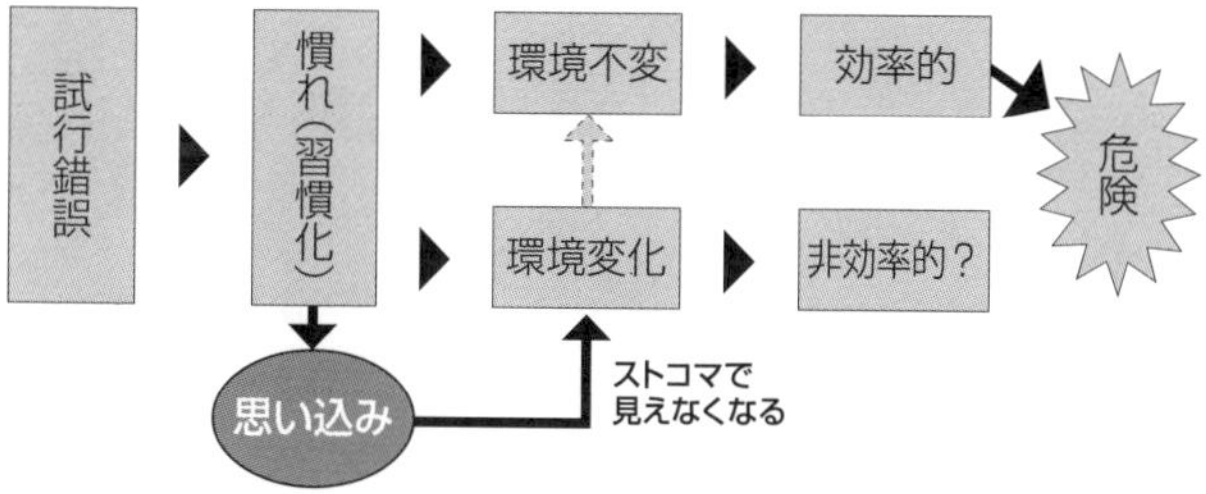
試行錯誤
慣れ（習慣化）
環境不変
効率的
環境変化
非効率的？
危険
思い込み
ストコマで
見えなくなる

5-5 認識の不協和

「認識の不協和」とは、自分が信じているものと全く違った考え方が入り込むと、混乱を生じてしまう、その時の心の状態を言います。そして不協和状態にあると、長くその状態にとどまることはできなくなり、次のような形で協和状態を作ろうとします。

①行動を考え方に合わせて修正する
②行動を正当化しようとする
③考え方を行動に合わせて修正する

たとえば、タイガースファンに向かって、今日からジャイアンツファンになりなさい、と言われた時の「とんでもない」という感情がそうです。

目標もこのように作用します。つまり、自分がこうだと思っている水準より高い目標を

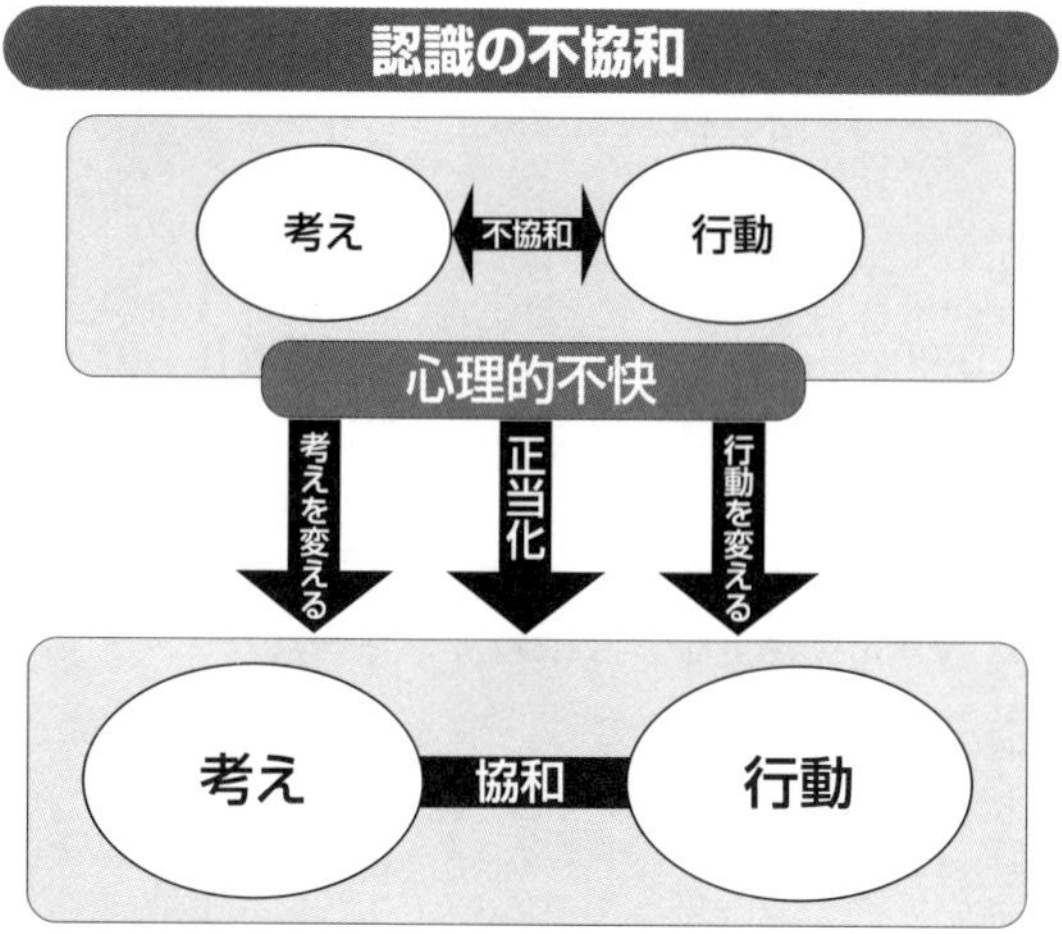
認識の不協和
考え
不協和
行動
心理的不快
考えを変える
正当化
行動を変える
考え
協和
行動

外から与えられると、私たちは何かと口実を見つけて、それを下げてもらおうと働きかけます（①）。それを拒否されると、今度はできない理由を用意しておいて、期間がすぎたところでいろいろ言い訳を並べます（②）。

しかし、このようなパターンをとるかぎり、目標を達成することはありません。

第3の方法（③）は、自己イメージ（自分の考え方）を修正することです。つまり、修正（拡大）した自己イメージの中に目標を取り込むことです。前述のように、自分にとって目標が大切なものであり、その目標を達成した自分の姿を鮮明にイメージできれば、脳の活性化ネットワークシステムが働いて、目標を達成させてくれます。

「認識の不協和の理論（認知的不協和の理論ともいう）」は、レオン・フェスティンガーが提唱したものです。心の中に互いに矛盾する2つの認知があると、不快な認識の不協和が生じ、人はその不協和を低減するために、どちらかの認知を変えるというものです。

たとえば、A、B、Cの自動車の中から、迷った上Aを選んで買った人がいたとします。「Aを買った」という認知は、「BやCにはAにはない長所がある」というような認知とは相容れず、認識の不協和が生じます。そこで、この人の心の中には、認識の不協和を低減させようという動機が生じます。しかしAを買ってしまったという事実は変えられないので、A以外の長所から目をそらすということで認識の不協和の低減が行われるのです。つまり、BやCの長所に対して心の盲点（スコトマ）を作って見ようとしなくなるのです。

「目標」もこのようにして設定すればよいのです。すなわち、自分としては一見難しく見える水準のものでも、「これをやってみせる」と言ってしまう（行動の変化が起こる）と、そう明言した自分と矛盾しないように、考え方の調整（「本当はこれくらいのことはやれると思っていた」と思うようになる）が行われるのです。

成功した人は、意識的にこの原理を自分に課すことで高い目標を達成してきたのです。また、それが「自己イメージ」の拡大（修正）にもつながるのです。

認識の不協和を活用

認識の不協和を活用して目標を達成する
（考えと行動を変える）

① 行動を変える
高い目標を公言
② 考えを変える
考えの調整
「本当はこれくらいできると思っていた」
認識の不協和を
解消しようとする
自己イメージ
の拡大
③ 目標の達成

5-6 甘いレモンとすっぱいブドウの合理化

私たちは目標を立てる時、あれこれ考えた末に複数の選択肢の中から一つ選ぶのが普通です。そのような時、頭の隅には、別の方を選べばよかったかもしれないという思い（迷い）があります。E・Bゼックミスタと J・E・ジョンソンは『クリティカルシンキング』（北大路書房）の中で、「このような時、私たちは次の2つの方法のいずれか、または両方を用いて、認知的不協和を低減しようとする。その2つとは、甘いレモンの合理化とすっぱいブドウの合理化と呼ばれているものである」と述べています。

「甘いレモンの合理化」では、「自分が選んだもののポジティブな面を強調し、ネガティブな面を無視する」。一方、「すっぱいブドウの合理化」では、逆に自分が選ばなかった方、つまり捨てた方のネガティブな面を強調し、ポジティブな面は無視する」という2つの合理化です。

この原理を応用して、私たちは高い目標を設定することができます。

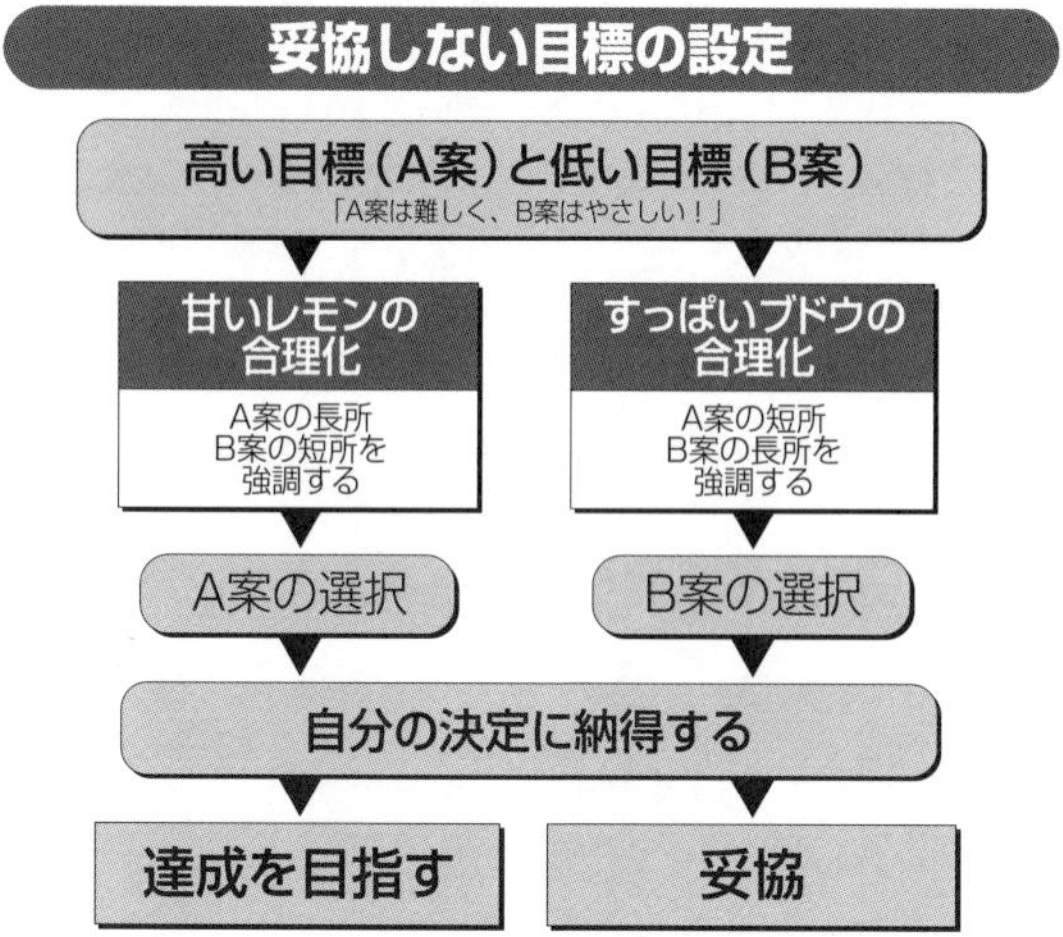
妥協しない目標の設定
高い目標（A案）と低い目標（B案）
「A案は難しく、B案はやさしい！」
甘いレモンの合理化
A案の長所
B案の短所を
強調する
すっぱいブドウの合理化
A案の短所
B案の長所を
強調する
A案の選択
B案の選択
自分の決定に納得する
達成を目指す
妥協

目標を設定する時、私たちは多くの場合一つだけ「これだ」という目標を立てます。ところが、それが現実と遠くかけ離れていて「どうやって」という方法論が見つからない時には、その目標を引き下げて現実に近づけようと妥協します。それを避けるためには、方法論を考える前に、これだという目標（A案）ともう一つ違った目標（B案）を立て、AとBのどちらがいいか、という議論をします。すると、A案がよいという選択が行われた場合、A案に対して甘いレモンの合理化を、B案に対してすっぱいブドウの合理化が行われ、A案を目標として選択できるようになります。

COLUMN

ジョハリの窓（心の窓）

人の心には「4つの窓」がついていると言われています。自分が見ている自分と、他人が見ている自分をマトリックス表示すると、4つの窓が見えてきます。これは「ジョハリの窓（心の窓）」と言われるもので、ジョセフ・ルフトとハリー・インガムの2人が考え出したためこう呼ばれています。

		自分で	
		分かっている	分かっていない
他人に	知られている	A 開かれた窓 (OPEN WINDOW)	B 盲目の窓 (BLIND WINDOW)
	知られていない	C 隠された窓 (HIDDEN WINDOW)	D 暗い窓 (DARK WINDOW)

社会生活をするにあたって、どの窓が開かれていればうまくいくのでしょうか。当然のことながらAの窓です。すなわちこの窓は、自分にも他人にも開かれていて、「自分はこういう人間だと思っている自分と、あなたはこういう人間だと他人が見ている自分」が重なっていて、自然体で行動できる領域だからです。

BやCが広くAが狭いと、グループのなかで相互に理解しあうことが難しくなり、人間関係もギクシャクしたものになります。

したがって、まず自分を知ること、そして他人を見る目を養う（理解する）ことが大切です。そのうえで上手なコミュニケーションをして、BやCの領域を狭めていけば社会生活はもっとスムーズにいくでしょう。

第3部

対人メンタルマネジメント能力を高める

第3部では、対人メンタルマネジメント能力を高めるために実際にどうすればよいのかということに関して見ていきます。

まず、第6章では、対人メンタルマネジメント基礎ということで、相手を動かすためには必須といわれる動機づけ（モチベーション）について見ていきます。第7章と第8章では相手の感情に影響を与え、実際に相手を動かしていくための具体的なテクニックとしてコーチングとゲーム理論について見ていきます。

対人メンタルマネジメントは、あくまでも自己メンタルマネジメントを前提にしています。対人メンタルマネジメント能力を高めるのは結構なことですが、これを強調しすぎると過剰適応の問題が発生し、かえってストレスのもとになってしまいます。その意味でも、まず自己メンタルマネジメント能力を高める。それから対人メンタルマネジメント能力を高める、という順序が大切で、その逆はありません。

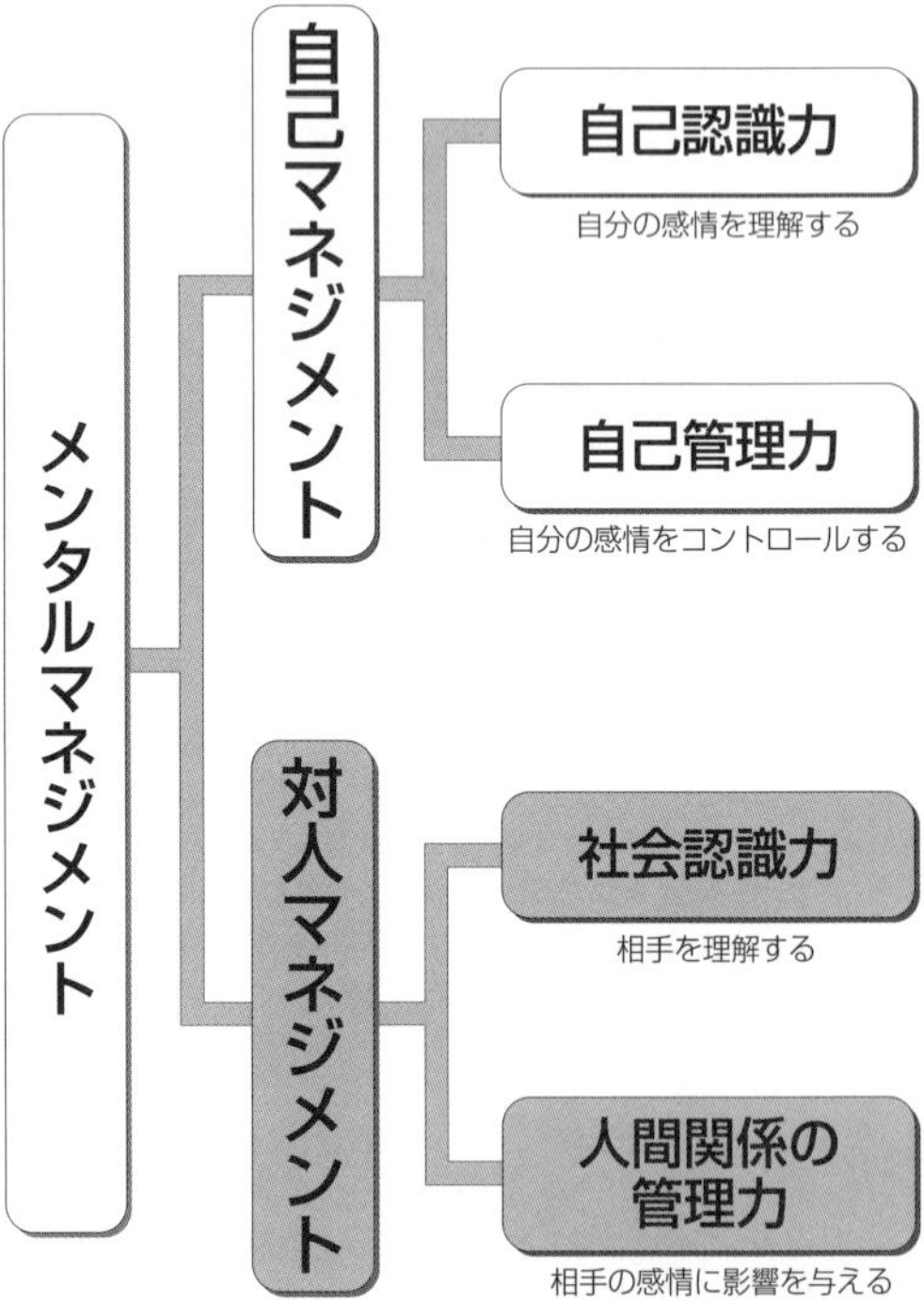
メンタルマネジメント
自己マネジメント
自己認識力
自分の感情を理解する
自己管理力
自分の感情をコントロールする
対人マネジメント
社会認識力
相手を理解する
人間関係の管理力
相手の感情に影響を与える

第6章
相手のモチベーションを高める

6-1 モチベーション（動機づけ）の重要性

対人メンタルマネジメントは、相手や相手のニーズを理解した上で、相手の感情に影響を与え、行動させるということでしたが、その上で適切な動機づけが非常に重要になってきます。動機づけとは、相手のやる気を引き出すことです。適切な動機づけがされないと、相手のやる気が上がらずに、相手を自分の思うように行動させることができません。

たとえば、ある会社の営業部で上司が部下に対して「会社は利益を上げなければ成り立たない。利益を上げるためには1件でも多く営業に行ってこい！」と命じたところで、表面上で部下が動いていても、実際に上司が思うような結果が出ない場合が見られます。

適切な動機づけをせずに知識とロジックだけで命じても、相手を自分の思うように行動させることは難しいのです。相手を自分の思うように行動させるためには相手を適切に動機づけることが非常に重要になってきます。本章ではその動機づけについて説明していきます。

動機づけのステップ
モチベーション（動機づけ）
自分を動機づける
自己メンタルマネジメント
相手を動機づける
対人メンタルマネジメント
① モチベーションを理解する
② 自分を動機づけられる
③ 相手を動機づける

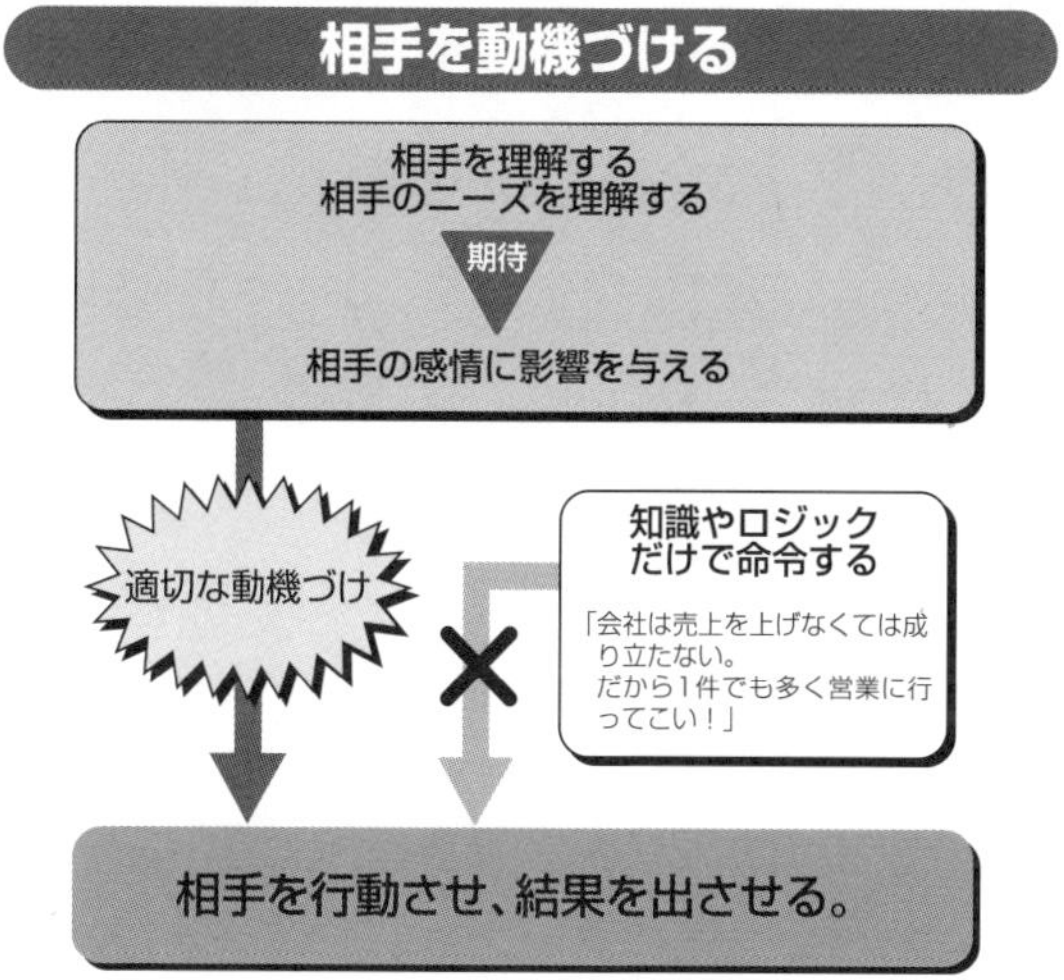
相手を動機づける
相手を理解する
相手のニーズを理解する
期待
相手の感情に影響を与える
適切な動機づけ
知識やロジックだけで命令する
「会社は売上を上げなくては成り立たない。
だから1件でも多く営業に行ってこい！」
相手を行動させ、結果を出させる。

6-2 ピグマリオン効果

プラスの期待、マイナスの期待

ギリシャ神話に出てくる彫刻家のピグマリオンは、自分の彫った女性の像があまりに美しかったので、その彫刻像に恋をしてしまいました。愛の女神は彼の愛を認め、その彫刻像に命を与えました。

バーナード・ショーは、この神話をモチーフにして戯曲『ピグマリオン』を創作し、これは後にミュージカル『マイ・フェア・レディ』の基礎にもなりました。

劇中でヒギンズ教授は、教養のない貧しい花売り娘のイライザを貴婦人のように扱い、本物の貴婦人に変身させたのです。劇中でイライザは、ヒギンズ教授の友人に次のように語っています。

「本当に、服装や言葉づかいなどの誰でもわかるような違いはともかくとして、貴婦人と花売り娘の違いは、その振る舞いかたではなく、周りの人々の扱い方なんです。ヒギンズ

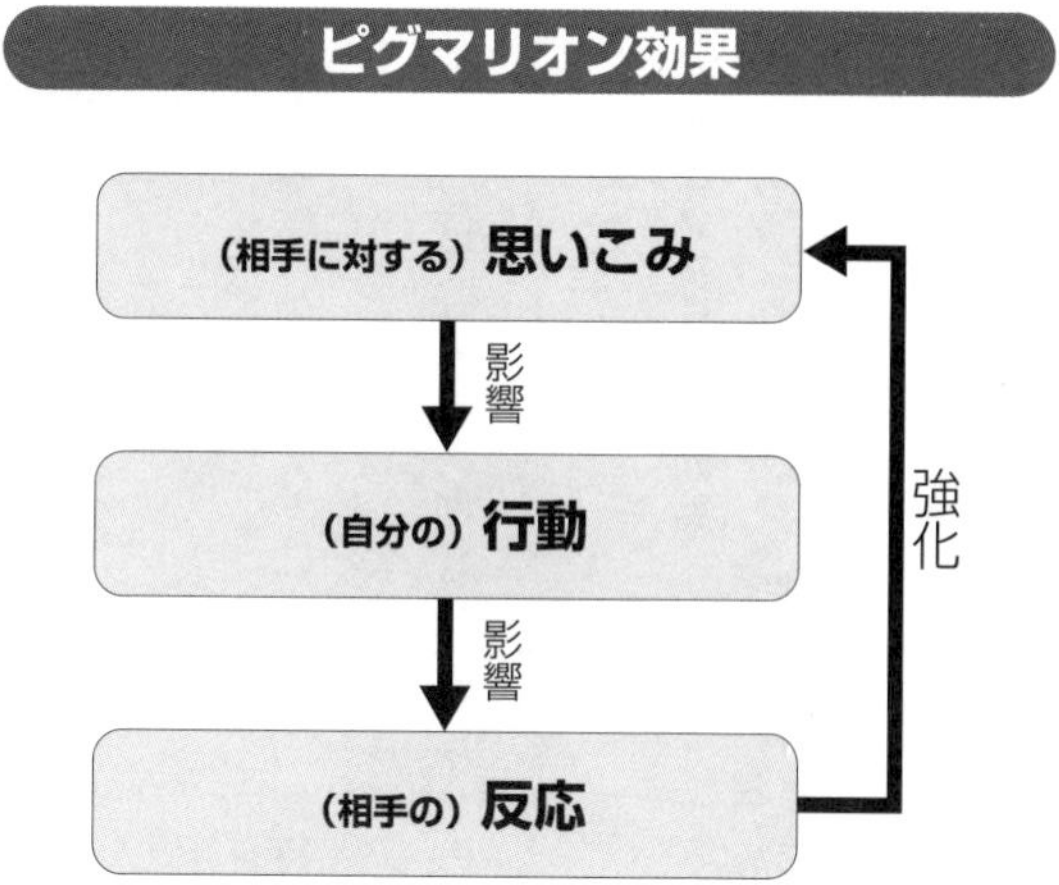
ピグマリオン効果
（相手に対する）思いこみ
影響
（自分の）行動
影響
（相手の）反応
強化

教授にとって私はいつまでたっても花売り娘。教授はいつも私を花売り娘としてしか扱わないし、これからもずっとそうでしょう。でもあなたの前では私は貴婦人になれるわ。なぜなら、あなたはいつも私を貴婦人のように扱ってくれるし、これからもずっとそうだと思うから」。

ピグマリオンの神話はさまざまな形に変えられ語られています。その底辺にはいずれも同じモチーフ、すなわち「人の行為は相手の人の期待度を反映する」があります。

6-3 ピグマリオン効果の例

私たちは、周囲の人々に対して「期待」ということを通して、大きな影響を与えています。多くの場合、人は期待されるとその期待に応えようとして行動するからです。私たちの持つ期待（プラスの期待、マイナスの期待）そのものが、その人の内面に大きな影響を与えて、その人の行動や振る舞いを変えていくのです。

教室のピグマリオン効果

教育現場においては、「期待の持つ教育的効果」について、多くの報告書が出ています。そのひとつに、アメリカのローゼンタールが発表した「教室のピグマリオン」があります。ローゼンタールは、教師の期待度によって子供の成績がどのように変わるかについて、次のような形で実験しました。

まず無作為に20％の小学生を抽出し、普通の知能テストを実施します。その後で担任の先生に「テストの結果、将来伸びそうな子供の名前を先生にだけ教えましょう」と、偽の情報を流します。先生はその情報を信じ、実際の能力とはまったく無関係であるにもかかわらず、その生徒たちの〝才能〟に期待を寄せるようになりました。1年後再び知能テストを実施したところ、期待をかけられた子供たちの知能指数は、そうでない子供たちに比べて、明らかに上がっていました。しかもテストの結果だけでなく、学習意欲も向上していたといいます。

子供に限らず、他人に対しても肯定的なピグマリオンにならなければなりません。

職場におけるピグマリオン効果

これを組織の中で応用すれば、管理者が部下の能力を信じ、その仕事ぶりを評価して期待をかければ、部下は仕事にやりがいを感じ能率も上がるようになるというわけです。部下の自己イメージはその人の能力に枠をはめます。業績もその人自身がどのような自己イメージを持っているかに大きく影響されるのです。人は、自分にできると思ったことしかできませんので、部下の自己イメージを拡大することができれば、それだけ部下の能力も向上することが期待できるわけです。

以上2つの例でわかるように、他人に対してある思い込みをすると、私たちはその思い込みどおりの行動をとるため、相手もそれに応えることになります。

たとえば、最近の若い人を見て「新人類でとても理解しあえる仲にはなれない」と思い込んでいると、コミュニケーションのやり方もぞんざいになり、相手も「自分は期待されていない。この人は何を言いたいのだろう?」と感じ、まともに応えようとしません。それを見て、「やっぱり思ったとおりだ。彼らはわからない」という結果になってしまいます。

一方、「新人類というのは、それだけ感性がすばらしいということだ。ぜひ彼らの意見を聞いてみたいし、取り入れてみたい」という考え方（思い込み）をしていると、その人は積極的に若い人の意見を聞こうとします。すると、若い人もその期待に応えようとすることになり、「やっぱり、若い人の感性はすばらしい」ということになるのです。

ピグマリオン効果の原理を活用して、プラスの期待をしましょう。

教室のピグマリオン効果

担任の先生に
「A君は将来伸びそうな子ですね」
と告げる

▼

担任の先生が
A君にいだくイメージが拡大

A君への期待

▼

A君の学習意欲・知能指数ともに向上

職場のピグマリオン効果

◎プラス	×マイナス
T君の根気あるリサーチ力と前向きさを活かしたい	Tは作業が遅く、チームの足を引っ張っていることを認識していない
▼	▼
彼に適した業務をさらに任せよう。タイムマネジメント力がつけばバランスのとれた素晴らしい社員になる	足手まといなので責任のない仕事をさせよう
▼	▼
能力の向上	能力が発揮できない

6-4 自分に期待する

ピグマリオン効果は主に他人への期待の効果について言いますが、ここではもう少し広くとらえ、自分への期待も含めて考えてみましょう。良い意味で自分に期待できる人だけが他人にも期待できるということが言えるからです。その点を自己対話との関係から見てみましょう。これは第2部（4章）の自己メンタルマネジメントでみてきた自尊心とも強く関連しています。

私たちは、あることをして成功したり失敗した時、通常次のような自己対話をします。

That's like me.（それは自分らしい）
That's not like me.（それは自分らしくない）

では自尊心の高い人と低い人では、このような時にどのような違いがあるのでしょうか。

自分に期待する

自尊心の高い人	成功	「さすが自分だ」 成功したのは自分らしい	成功する
	失敗	「次回はきっと上手くやろう」 失敗したのは自分らしくない	
自尊心の低い人	成功	「まぐれだ」 成功したのは自分らしくない	失敗する
	失敗	「またやっちゃった」 失敗したのは自分らしい	

自尊心の高い人は、上手くいった時は「これは自分らしい、さすが自分だ」と心の中で自分を誉めます。また失敗した時は、「これは自分らしくない。次回にはきっと上手くやって見せるぞ」と、自分に期待を込めた肯定的な自己対話を行います。

一方、自尊心の低い人は、上手くいった時には「まぐれだ。これは自分らしくない」と言って自分の成果を認めようとしません。また失敗した時には「またやっちゃった。これは自分らしい」と、否定的な自己対話をしているのです。

私たちに必要なのは、自尊心の高い人がする自己対話であり、自分に期待することが必要なのです。

6-5 他人に期待する（フィードバックの効果）

次に、他人に期待することについて見てみましょう。
私たちは、他人が成功したり失敗した時、通常次のようなフィードバックを行います。
自己対話の時のmeをyouに置き換え

That's like you.（それはあなたらしい）
That's not like you.（それはあなたらしくない）

ここでも自尊心の高い人と低い人では、自己対話と同じような違いが見られます。

すなわち、自尊心の高い人は、他人が上手くやったのを見ると「よくやった。さすがあなただ」と素直に誉めます。また失敗した時には、「あなたらしくない。あなたはもっとできる人だ。次回にはきっと上手くやれるよ」と励ましの言葉をそえてフィードバックを行

他人に期待する

自尊心の高い人	成功	「さすがあなただ」 成功したのはあなたらしい	上手くいく
	失敗	「次回はきっと上手くやれるよ」 失敗したのはあなたらしくない	上手くいく
自尊心の低い人	成功	「まぐれだ」 成功したのはあなたらしくない	上手くいかない
	失敗	「思ったとおりだ」 失敗したのはあなたらしい	上手くいかない

います。

一方自尊心の低い人は、他人が上手くやった時は「あなたらしくない。まぐれだ」と皮肉を込めたフィードバックを行います。そして他人が失敗した時は「あなたらしい。思ったとおりだ」と、ここでも否定的なフィードバックを行います。それが意図的でなく冗談のつもりで言ったとしても、当の本人にはつらい思いをさせることになるのです。

このようなフィードバックが、相手の悪い自己イメージの形成につながることは自己対話の場合と同じです。私たちに必要なのは、自尊心の高い人のするフィードバックであり、他人に期待することなのです。

6-6 期待と自尊心

ここまで別々に見てきた期待（ピグマリオン効果）と自尊心を関連させて見てみると、次のような興味深い関係が見えてきます。

まずしっかりした自尊心を持つこと、そして（自分自身にまた他人に）期待することが次ページの図から読み取れます。この2つの条件がそろってはじめて人生の勝利者（成功者）が生まれるのです。一方、どちらかの条件が欠ける（低い）と、勝利者になるのは難しく、不満足な人生を送ることになるのです。

特に日本では、子供の自尊心を育てない（低い自尊心を育てる）まま、親は高い期待をする傾向がありますから、子供は親の過大な期待に押しつぶされるか、敗者（失敗者）の仲間入りをすることになるのです。

これはただ子供だけの問題ではなく、親の善意が子供を追い込んでしまっているのです。子供は親に反論できないために、親の前では「いい子」にしていますが、親の期待を負担

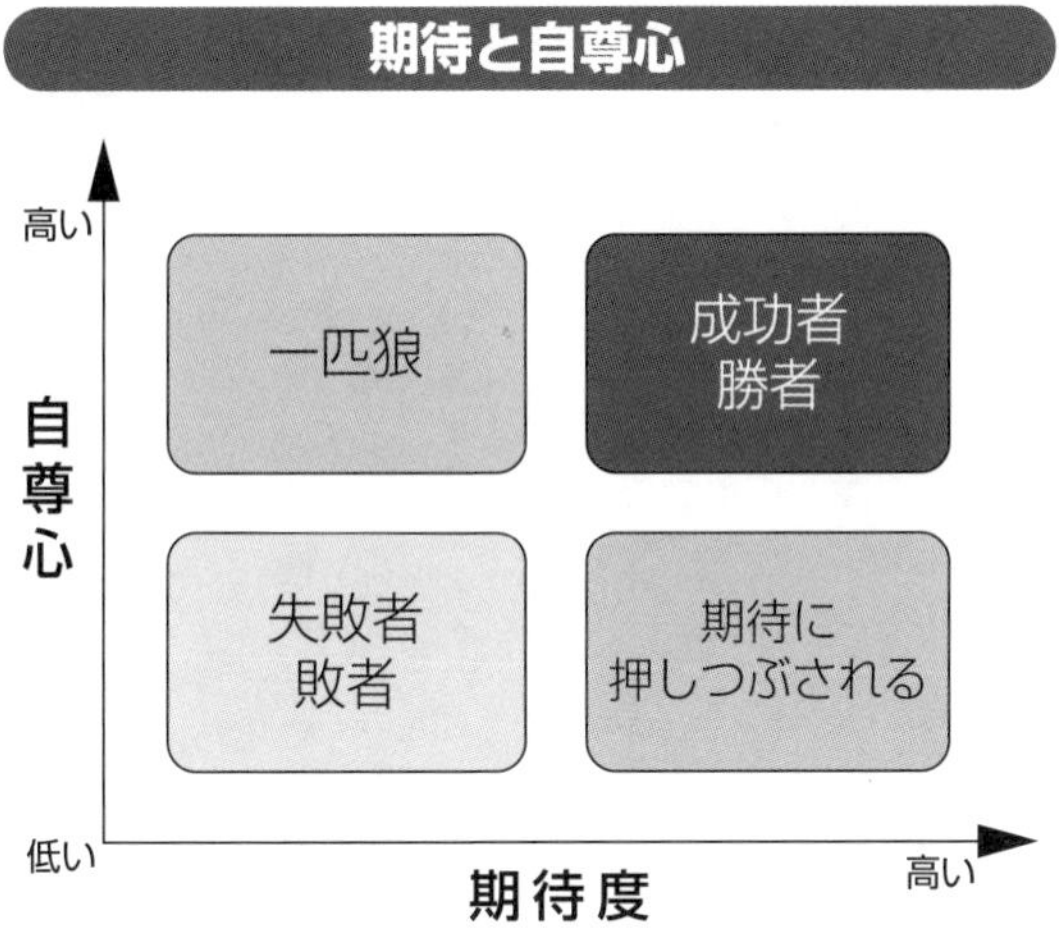
期待と自尊心
高い
一匹狼
成功者
勝者
自尊心
失敗者
敗者
期待に
押しつぶされる
低い
期待度
高い

に感じて、それに応えられない自分を責めるのです。その意味ではこれは親の問題です。

子供に期待する前に、親は「自分の自尊心は高いのか？」そして「自尊心の高い子供に育てられたか？」と自問する必要があります。また、教育現場においては教師自身がこの問題についてしっかりした認識と勉強をすることが大切です。

親も教師も自らの自尊心を高め自分に期待する、と同時に子供たちにも期待する。そのようになってほしいものです。

6-7 やる気を起こさせる動機づけ

動機づけつまり自分や他人を「やる気」にさせることは非常に重要なテーマです。では、どうやって「やる気」を起こさせ、実行に導くことができるのか考えてみましょう。

ひと昔までは、「アメとムチ」という言い方をしたものです。すなわち、人に行動を起こさせるために、アメ（またはニンジン）をちらつかせたり、やらなければ罰を与える、というやり方です。これは時と状況によっては効果が出ることもありますが、いつもというわけにはいきません。

効果的な動機づけは心の問題です。つまり、潜在意識の働きが大きく影響します。人は心の底からやりたいと思うことは実行しますが、他人から押しつけられることには反発し、実行を回避するか、やるにしても最低限のことしかやらないことが多いのです。

きれいに刈り込まれた青々とした芝生のグラウンドがあるとします。もしこのグラウンドが柵に囲まれ、「この芝生に立ち入るべからず」という看板が立ててあったら、ちょっと

動機づけの種類

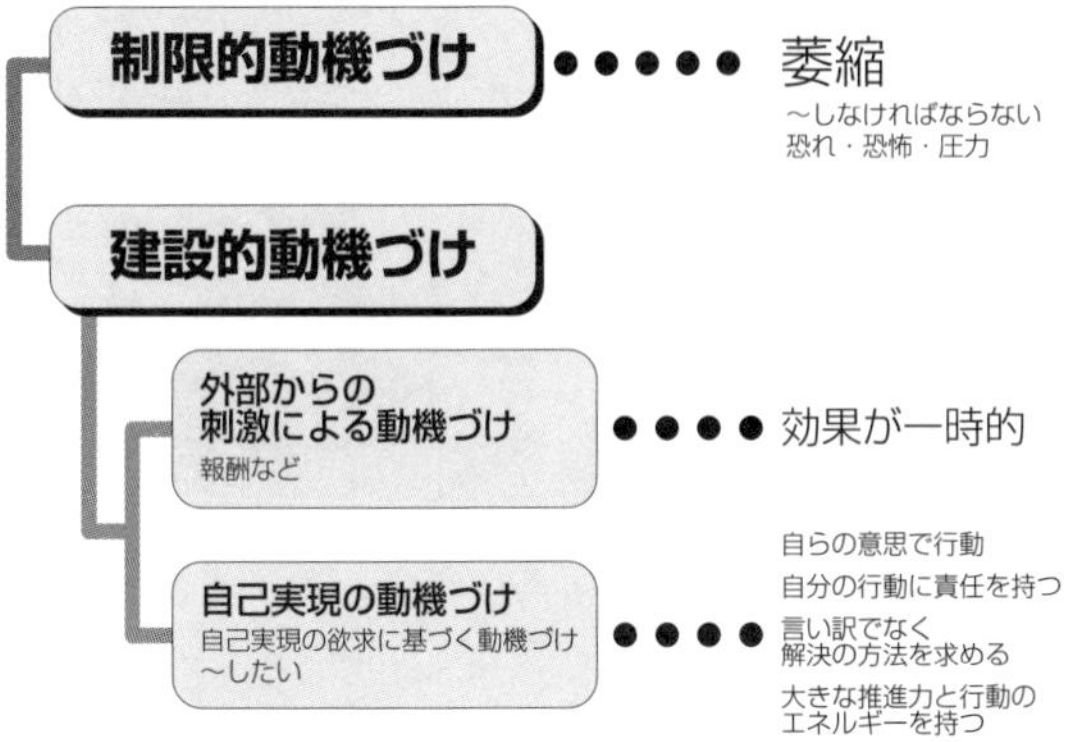
制限的動機づけ
萎縮
〜しなければならない
恐れ・恐怖・圧力
建設的動機づけ
外部からの
刺激による動機づけ
報酬など
効果が一時的
自己実現の動機づけ
自己実現の欲求に基づく動機づけ
〜したい
自らの意思で行動
自分の行動に責任を持つ
言い訳でなく
解決の方法を求める
大きな推進力と行動の
エネルギーを持つ

踏み込んでみたくならないでしょうか。実はこれが潜在意識のなせるわざなのです。つまり、押しつけられると、潜在意識には心理的な反発が起こり、上と言えば下、右と言えば左というような「あまのじゃく」の傾向があります。

したがって、自ら成し遂げたいと思うこと、つまり「自己実現の欲求」に基づくことが一番強い動機づけになるのです。

制限的動機づけ

制限的動機づけは、原則として「〜しなければならない」という強制的なものに基づいています。それをしなければ、何か恐ろしいことが起こるからという動機づけです。恐れ、強制、圧力が人を行動に駆り立てます。誰かを強制的に動機づけする時、無理やりに変化や行動を押しつけると、その人の行動の責任を奪うことになります。彼らは萎縮し奴隷にさせられてしまいます。

これは自分に対しての動機づけにもあてはまります。もし自分に「〜しなければならない、さもなければ…」と自問していると、自分を萎縮させます。これでは自分は奴隷だと自分で認めていることになります。潜在意識が威厳と尊敬の念をもって取り扱われていないため反乱を起こすのです。

古いタイプの研修では受講生をカンヅメにし、お互いに相手の欠点や弱点を指摘させ、心をズタズタにしてから、意図する方向に誘導する（鋳型にはめ込む）というものがありました。このやり方で根性をたたき直すというのが名目ですが、一時的には効果があっても、時間が立つにつれ、元に戻ってしまうという結果になってしまいました。もうおわかりですね。潜在意識が押しつけられたものに反発したために長続きしなかったのです。

このように、制限的動機づけでは持続性に欠け、実行しても最低限の結果しか生み出さないのです。

建設的動機づけ

建設的動機づけには2種類あります。外部からの刺激による動機づけと、「～したい」という自己実現の動機づけです。

外部からの刺激による動機づけは、何らかの報酬による「動機づけ」で、これは伝統的なアプローチとしてよく使われています。たとえば、ある社員に仕事の成績が良かったので特別ボーナス10万円を与えたとします。その社員は大変喜んで、一層仕事に励んでくれます。しかしながら翌年になれば、10万円のボーナスは当然だと思うようになり、そのうち10万円では飽き足らなくなり、20万円欲しいと思うようになります。したがって、「馬の鼻先にニンジン」という考え方は、一時的な効果があっても、やはり長続きしないのです。

一方、自己実現の動機づけでは、継続的で力強く、ビジョンが明確で自己実現の欲求に基づいています。たとえば、「私はそれが好きだ」とか「私はそれをやりたい」というような動機づけです。

このような動機づけをされると、相手は「自らの意志で行動する。自分の行動に責任を持つ。言い訳でなく解決の方法を求める。大きな推進力と行動のエネルギーを持つ」などの能度を持つようになるので、目標を達成することができるのです。

私たちは、「～しなければならない」という表現を避け、「～したい」という言葉に置き換えることが必要です。「～したい」と心の底から思うことは大抵実現するものです。

第7章
コーチングで相手をガイドする

7-1 コーチング

動機づけにおいては、相手に影響を与えて、自分の思うように相手に自発的に行動させる必要があることを見てきました。動機づけを上手く使って実際に相手に自発的に行動させていくテクニックがコーチングにあたります。

「コーチングとは何ですか?」と問われれば、ほとんどの人はスポーツにおけるコーチと選手の関係を思い浮かべ「人(選手)のスキルを向上させるよう指導すること」と答えるでしょう。そのとおりです。スポーツの世界では珍しいことではありません。有力選手には必ずといっていいほど有能なコーチがついています。いまではスポーツの分野以外にも一般化した概念です。

一方、メンタリングという言葉も普及しはじめています。メンタリングとは、「経験豊かな人が、未熟な人に対して行うキャリア的、心理・社会的な支援」をいいますが、まだまだ一般的ではありません。あえて日本語で言うなら、精神的なつながりの深い「師弟関係」

と言うべきでしょうか。

ではコーチングとメンタリングの違いとは何でしょう?

コーチングは、その語源の「coach＝馬車」からみてもわかるように「人を、その人が行きたい所に確実に早く送り届ける」という意味があります。すなわち、馬車に乗った人は「自分がどこへ行きたいか」はわかっていて、しかも自分で行くより馬車で行くほうが早く、確実に目的地に行くことができることも理解しているのです。つまりコーチングは、コーチされる人が「What＝何をやりたいか」はわかっていても、「How＝どのように」やればよいかわからない時に、「自分よりはスキルが上であり、知識、経験が豊富な人から指導を受けたい」という時に成り立つ概念なのです。

したがって、多くの場合「特定のスキルの向上を目指す」という目的を持った「指導と被指導」の関係を「コーチング」と定義できます。

一般的には、指導する人は指導される人より明らかにスキルが上であり、「あのようになりたい（上達したい）」という目標、またはモデルとなるものです。その結果、喜んでその人の指導を受け入れようとします。これらの関係を図示すると、151ページのような図になります。

しかし指導する人のスキルが専門的に上でなくても、その人のコーチを受けようとする関係も成立します。人間的に優れていて魅力的であれば、その人の言うことなら進んで従おうと思えるわけで、それがメンターとしてコーチする（メンタリング）という関係を成立させるわけです。このメンターの関係について、タイスは次のように語っています。

「その人は何をしてくれただろうか？　きっと、当時のあなたには見えなかった資質を見抜いてくれたに違いない。その人達には、あなた自身が思っているよりももっと大きなあなたのイメージがあった。もちろん、あなたの短所や欠点が見えなかったわけではないが、それにはこだわらなかった。そうではなくて、あなたが自分の力や能力、成長の可能性を信じる手助けをしてくれた。あなたにインスピレーションを与え、自分だけではわからなかった人生の可能性が見えるように助けてくれたはずだ。あなたはメンターを信頼しているから、メンターが描いてくれたイメージを受け入れた。」

コーチング

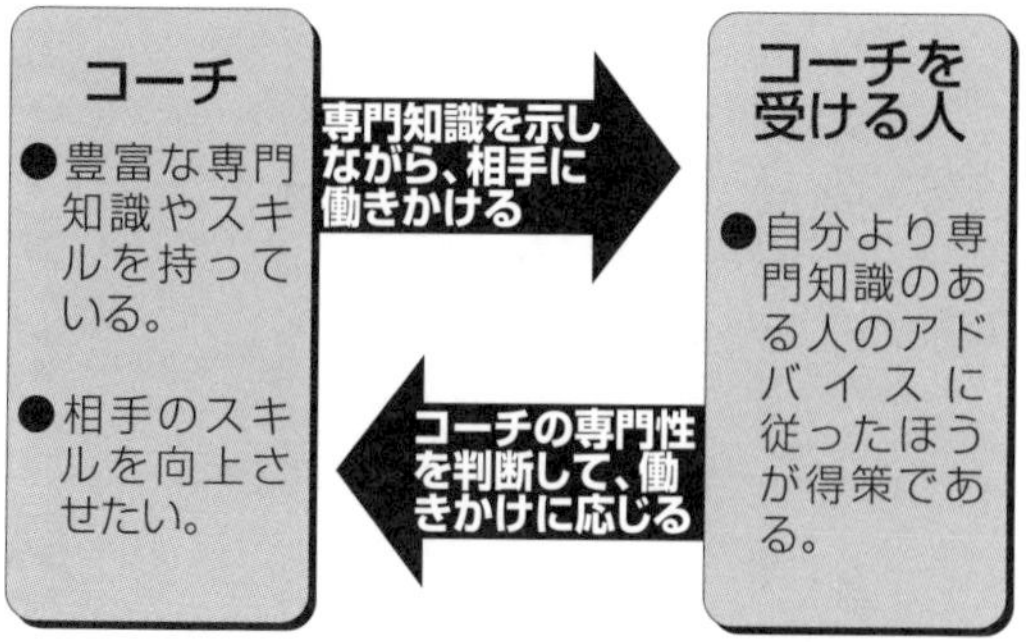
コーチ
●豊富な専門知識やスキルを持っている。
●相手のスキルを向上させたい。
専門知識を示しながら、相手に働きかける
コーチの専門性を判断して、働きかけに応じる
コーチを受ける人
●自分より専門知識のある人のアドバイスに従ったほうが得策である。

メンターとコーチ

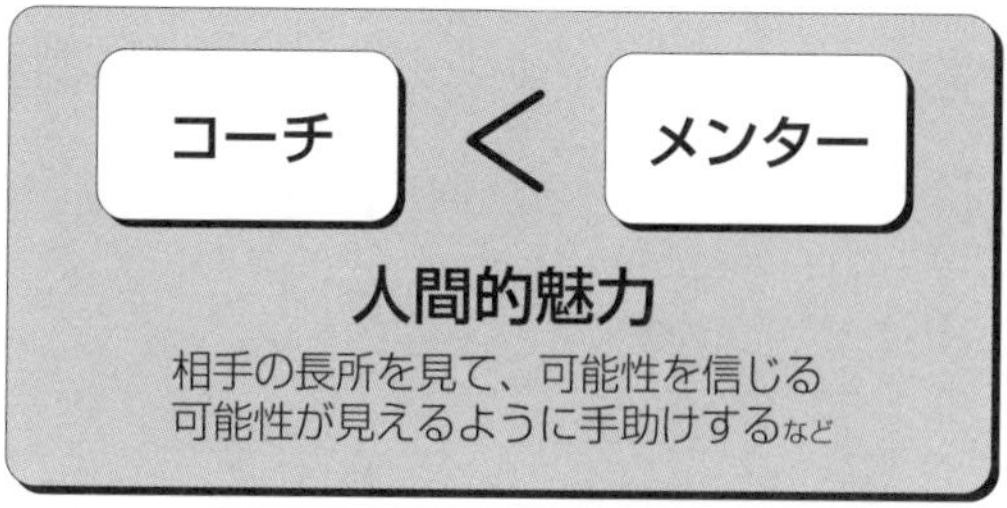
コーチ
＜
メンター
人間的魅力
相手の長所を見て、可能性を信じる
可能性が見えるように手助けするなど

●コーチには人間的魅力は必ずしも必要ではない。

●人間的魅力で相手が進んで従う。

●メンターとしてコーチできれば最高である。

7-2 コーチング・スキル

コーチングとは、別な表現をすれば「個人や組織の目標を実現するために側面からサポートするシステム」ということができます。そのため「相手の自発的な行動を促進するためのコミュニケーションのスキル」が重要視されます。

その背後には、人間に対する次のような前提があります。

・人は皆、大きな可能性を持っているが、現実にはその可能性を発揮していない
・その人が必要とする答えはその人の中にあるが、多くの場合、気づいていない
・その答えを見つけるために、誰か他の人（コーチ）の手助けが必要である

そのためにコーチは、コーチングを受ける人（相手）がどのような考え方をしており、「何を、どの程度」実現できれば満足するのかを知ろうとします。そして、どのようにす

コーチング・スキル

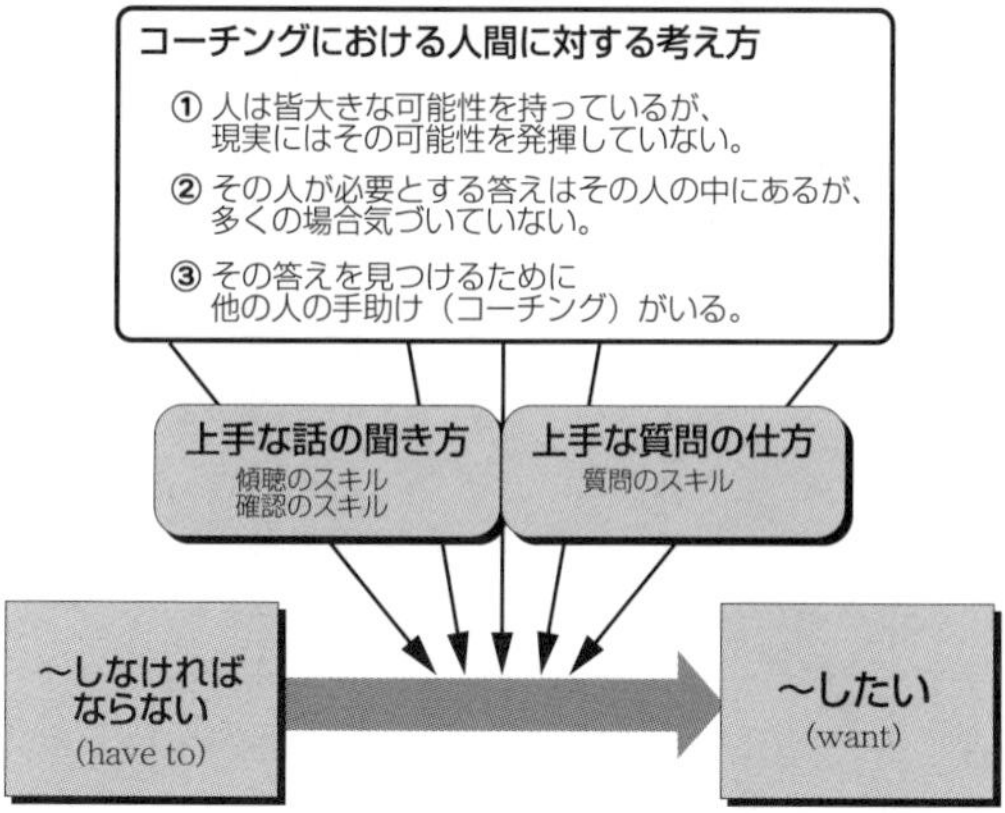
コーチングにおける人間に対する考え方
① 人は皆大きな可能性を持っているが、現実にはその可能性を発揮していない。
② その人が必要とする答えはその人の中にあるが、多くの場合気づいていない。
③ その答えを見つけるために他の人の手助け（コーチング）がいる。
上手な話の聞き方
傾聴のスキル
確認のスキル
上手な質問の仕方
質問のスキル
～しなければならない
(have to)
～したい
(want)

れば相手の考え方を「しなければならない（＝have to)」から「したい（＝want)」に変え、自発的に行動を起こすようになるかを見極めようとします。このために必要なコーチングのコアスキルとして、次の3つがあります。

①傾聴のスキル
②確認のスキル
③質問のスキル

ここでは、最も大切な要件として次の2つのことを説明していきたいと思います。

①上手な聞き方ができること
②上手な質問ができること

7-3 積極的傾聴

相手と同じ向きで課題に向き合うことを意味します。相手の話す言葉の内容と、本当の気持ちをくみ取り、相手を尊重して問題解決にあたることが大切です。

ところが、一般的に人は、聴き手になるより話し手になる術を身につけているものです。上手に聴くこと、相手の言うことを十分な注意と忍耐をもって、すぐに判断をくだしたりせずに聴くことこそ、コーチングに必要な第一のステップといえます。

ここでは、よい聴き手になるための必要最小限のスキルを紹介しましょう。実際には、時と場所によっていろいろ使い分けることが大切です。

(1) うなずきながら聴く（受容）

相手と話している時にいちいち自分の意見や考え方を言わないで、終わりまで誠意を持って聴くことを「受容」といいます。

積極的傾聴

① 受容	いちいち自分の意見を言わないで、終わりまで誠意を持って聞くこと。
② 繰り返しと確認	相手の話をある程度聞いたら、話の要点を整理して繰り返すこと。
③ 支持	話の内容をよく聴いてあげた上で、精神的なサポートをしてあげること。

相手の話を「うむ、うむ」とか「なるほど」とか「うむ、それから」などと相槌を打ちながら聴くことによって、相手に対して「あなたの話をしっかり聞いていますよ」というメッセージを送ることになります。

例

「ああそうか」「なるほど」「うむ、うむ」

「う～む、なるほど」「う～む、それから」

(2) 繰り返しと確認

相手の話をある程度聞いたら、話の要点を整理して繰り返すことを「繰り返し」と言います。

たとえば、「今日は頭が痛くてずきずきするんだ」と言われたら「そうか、頭がずきずき痛むのか」というやりかたです。仲間と釣りに行って、一人が「おお釣れたよ！」とはずんだ声で言えば、仲間は「おお、釣れたか！」と喜んで返します。そこには共感的な響きが感じられます。

ただし繰り返すといっても、何を繰り返すかが問題です。相手が感情を込めて言った個所を繰り返すようにするのが効果的です。

私たちは日ごろ会話の中で、言いたいことをストレートには言わず、遠回しに言うことがしばしばあります。そのような時には、「あなたのおっしゃりたいことはこういうことですか？」と確認することです。

相手は自分の話のエッセンスが整理されて戻ってくるので、自分の気持ちをフィードバックして自己対話を促進することになります。そして次の話に移ることができるようになります。

例

「あなたの言いたいことを一言で表現するとこういうことですか？」

「あなたの話を私の言葉で表現するとこういうことになりますが、足りないところがあり

受容

聞き手がうなずきのジェスチャーを交えながら真剣に聞いてくれれば、話し手としても「自分は無視されていない。よく聞いてくれているな」と感じて、「さらにその先を続けよう」と思うようになります。

このように話し手に安心感と満足感をもたらし、話す意欲を高めます。

ますか？」

（3）支持

その人の言うことが正しい時はもちろんですが、間違っている時でも無条件で正しいと言って支持することではありません。

正しい時は「そのとおりだ。私もそう思う」と支持し、間違っていると思う時は、その理由を述べた上で、「あなたは間違っている」と言い、なお「あなたを支援していますよ」という立場をとることです。

特に相手が自信なさそうな時には、その発言内容をよく聴いてあげた上で、精神的なサポートをしてあげること。そのことにより相手は不安感、自信の欠如、自己否定的な態度を軽減させ、安心感を持つことができるようになるのです。

相手と会話しながら、相手の言うのはもっともだと思った時に「それはそうだよ」といって賛成することが「自分の考えでいいんだ」と確信を持たせ、自信を持たせることになるのです。

ただし、相手の言い分が必ずしも正しくない場合、それを本人に気づかせてあげたいと思う時には「あなたがお客の立場だったらどうですか?」とか「私だったら…します」という言い方で相手に気づかせ、サポートするのが効果的です。

例

「それはそうですよ」

「誰でもそう思いますよ」

「私だってそうですよ」

繰り返しと確認

繰り返しはいかにも子供じみたことをやっているように見えますが、相手は自分の気持ちをじっと見つめて整理して話すようになり、会話そのものが相手を育てることになります。

また、自分の気持ちをよくわかってもらっているという満足感と安心感を持ち、話す意欲を高めるものです。

支持

相手の不安、迷いを取り除いて自信を持たせるために、こちらの判断、考えを述べる形で行われます。したがって多くの場合励ましの形になります。

また、相手に「正しい認識を持っているんだ」と確信させたり、「自分のやっていることはこれでいいんだ」と安心してもらうために用いられます。

7-4 質問の仕方

コーチングにとってもう一つ必要なスキルは「上手に質問すること」です。上手な質問は相手との関係を上手に築くために必要なことです。一般的に、質問する意図としては次の2つがあります。

①関係を作るため

・相手が自分からあまり話さない場合

・相手の発言内容を確かめる場合

・アドバイスした内容が適切であったかどうかを知りたい時

②情報収集として相手を理解するため

また、質問にはいろいろなタイプがあります。順を追って検討していきましょう。

(1) クローズド・クエスチョン(閉鎖型質問)

クローズド・クエスチョンとは、イエス/ノーまたは簡単な事実で答えられるような聞き方です。

「あなたは昨日会社を休みましたか?」

「試験を受けるつもりですか?」

このような質問には、イエスかノーでしか答えられません。そして、これらの質問に対しては自分の意見や感情を表現することはできません。

(2) オープン・クエスチョン(開放型質問)

イエス/ノーで答えにくい聞きかたです。たとえば、「仕事は上手くいっていますか?」という質問はオープンクエスチョンでは「仕事はいかがですか?」という言い方になります。すると、質問された方は「イエス/ノー」ではなく、自分の考えを答えることになります。

「あなたは何を探しているのですか?」

「どのようにすれば上手くいくと思いますか?」

これは多くの場合、「何=What」や「どのように=How」で始まる質問になります。このほうが、幅を持った質問となり、相手の回答に自由選択の余地を与えることになり、会話も発展しやすくなります。

(3) デンジャラス・クエスチョン(危険な質問)

質問の仕方によっては相手を警戒させて、相手の意見がオープンに述べられないこともありますので注意が必要です。

「なぜそれにこだわるのですか?」

「なんでそんなにあせっているのですか?」

このように「なぜ = Why」で始まる質問はオープン・クエスチョンにはなりますが、相手に警戒感を持たれる可能性があり、注意する必要があります。

3種類の質問の仕方

① クローズド・クエスチョン（What? How?）

「あなたは昨日会社を休みましたか？」
「試験を受けるつもりですか？」

意見や感情が表現しにくく、会話が発展しない

② オープン・クエスチョン（What?）

「なにを探しているのですか？」
「どのようにすれば上手くいくと思いますか？」

会話が発展しやすくなる

③ デンジャラス・クエスチョン（Why?）

「なぜそれにこだわるのですか？」
「なんでそんなにあせっているのですか？」

相手に警戒感を持たれる可能性がある

あなたは上手な聞き手ですか？

次の基準にしたがって
自分を聞き手として評価してみてください。

① 必要な情報を引き出す質問ができる

② 相手の話を遮らずに聞ける

③ 話を聞きながらメモをとる

④ 相手の言ったことを確認する

⑤ 支持者として聞くことができる

7-5 質問の言い換え

これまで質問の型について見てきましたが、それぞれ次のような特徴がありました。

クローズド・クエスチョン：イエスかノーでしか答えられない質問

オープン・クエスチョン：相手の考え方を引き出す質問

したがって、会話を発展させるためには、できるだけオープン・クエスチョン型で行うことがポイントになります。

なお、クローズド・クエスチョンをオープン・クエスチョンに言い換えることもできます。次のページの質問の言い換えをやってみてください。

質問の言い換え

①②にならって、
③④のクローズド・クエスチョンを
オープン・クエスチョンに言い換えてみましょう。

①クローズド・クエスチョン
本気で努力すれば間にあったんじゃありませんか?
↓
オープン・クエスチョン
間にあうようにするには、
どうすればよかったのでしょう?

②クローズド・クエスチョン
コンピュータの操作ができますか?
↓
オープン・クエスチョン
コンピュータについてどれぐらい詳しいですか?

③クローズド・クエスチョン
毎日長時間運転するのは大変ですか?
↓
オープン・クエスチョン

④クローズド・クエスチョン
昼食時の講演はおもしろかったですか?
↓
オープン・クエスチョン

7-6 下手なコーチと上手なコーチ

コーチには、上手、下手があります。

下手なコーチは、指導熱心で欠点を直そうとします。そのため、指導を受ける人のどこが悪いか、なぜそうなのか、どこを直せば上手くいくか専門家らしく熱心に指摘します。

指摘された人は、「直さなければならない」と思い、自分の欠点ばかりが気になり、潜在意識に失敗（欠点）のイメージを刷り込んでしまいます。そしてそのイメージどおりに行動し、また失敗を繰り返すことになるのです。するとまた失敗を指摘され、失敗のイメージはますます強化されます。こうして失敗の悪循環に陥り、その人はなかなか上手くならないのです。

さらに、下手なコーチは指導を受ける人が自分でコントロールできないことをアドバイスしようとします。次ページの図を見てください。

下手なコーチと上手なコーチ

下手なコーチ	上手なコーチ
・欠点を直そうとする ・コントロールできないことをアドバイスする	・長所を伸ばそうとする ・コントロールできることをアドバイスする

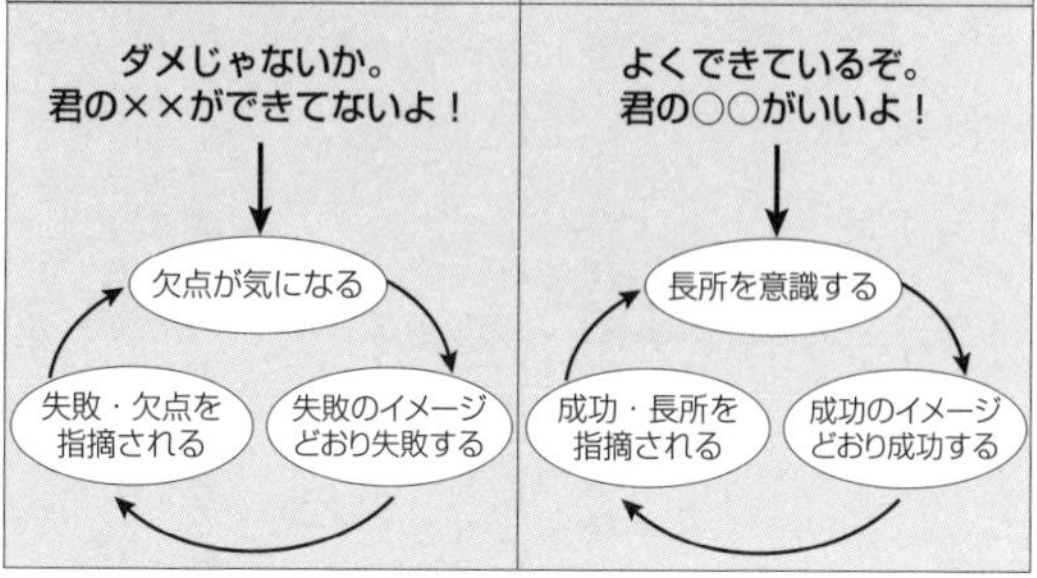
ダメじゃないか。
君の××ができてないよ！
欠点が気になる
失敗のイメージどおり失敗する
失敗・欠点を指摘される
よくできているぞ。
君の○○がいいよ！
長所を意識する
成功のイメージどおり成功する
成功・長所を指摘される

これらのことは、こちらが上手くやっても相手がそれ以上のプレーをすれば難しくなります。コントロールできるのは自分の行動だけなのですからこういったアドバイスをされてもどうしようもありません。

一方、上手なコーチは、指導を受ける人の長所を見つけてそれを伸ばそうとします。欠点が見えないわけではありませんが、それ以上に長所を伸ばして欠点を補おうとします。

コーチは良くできたところを見つけては「どこが良いか」を指摘して「よくやった」と誉めます。するとそれが励みになり、またやってみようとします。上手くいくとまた「よくできた。さすがだ」と言って誉められます。

それを何回か繰り返すと、本人は「これが自分の実力だ。もっと上手くなるようがんばろう」という気になります。

さらに、上手なコーチは指導を受ける人が実行可能なことをアドバイスします。これなら自分でコントロール可能なことであるため、言われたことに集中することができます。

2人のコーチの違いは、「自己イメージ」の捉え方の違いで、同じ人を見ても、下手なコーチは短所を見、上手なコーチは長所を見ます。それを指摘されると、指導を受ける人の潜在意識に刷り込まれるイメージは大きく違ったものになります。その結果は、イメージどおりの違いになって表れることになります。

コーチングの極意は、「やって見せ　言ってきかせて　させてみて　誉めてやらねば人は動かじ」にあるのです。

第8章

ゲーム理論で相手との関係をマネジメントする

8-1 囚人のジレンマ

紛争を処理する場面や交渉の場面において、ロジックだけでは答えが出ない場面があります。こういった場においては、相手の感情を理解して、相手のとる行動を予測した上で自分のとる行動を決める必要があるのです。そのためのテクニックとしてゲーム理論があります。ここでは特に「囚人のジレンマ」というモデルについて見てみましょう。

共犯の容疑者が捕らえられ、別々の独房に入れられて取り調べを受けます。検事は2人に2つの選択権（自白および黙秘）を与え、それぞれ刑は次のようになることを告げます。次ページの図を見てください。

さて、2人はどのような行動を選択するでしょうか？ 仲間に対する信頼と疑い、黙秘と自白をめぐって、心の中で大きなジレンマに陥るに違いありません。

2人が共に黙秘すれば、3年という軽い刑ですみますが、相手が黙秘してくれさえすれ

囚人のジレンマ

		容疑者B	
		黙秘	自白
容疑者A	黙秘	3年 / 3年	10年 / 1年
	自白	1年 / 10年	5年 / 5年

●2人とも黙秘すれば、2人は3年の刑になる。
●一方が自白し他方が黙秘すれば、前者は1年、後者は10年の刑になる。
●2人とも自白すれば、2人は5年の刑になる。

ば、自分が自白すれば1年という最も軽い刑ですむはずだ。どんなことがあっても10年だけはご免蒙りたい。そこで裏切りへの誘惑が心をもたげます。しかしこのことは2人に共通して言えますので、結果として2人は共に相手を裏切って自白してしまい、より重い刑である5年が科せられることになるのです。

これが「囚人のジレンマ」と言われるゲームのあらましです。

お互いに協力し合えば、より良い結果が得られるのに、エゴを出して自分だけの利益を考えて行動すると、共に不利益を蒙ることになるのです。

8-2 「ゼロサムゲーム」と「非ゼロサムゲーム」の生き方

ゲーム理論では、もともとお互いに利益が対立するという前提にたっています。すなわち、一方が利益を得た分だけ、他方が損をするというものです。

このようなゲームは、ゲームに参加している人たちの利益と損失を合わせると、ちょうどゼロになりますので、「ゼロサムゲーム」と呼ばれています。囲碁、マージャン、トランプなど私たちがふだん楽しんでいるゲームのほとんどがこのルールになっています。

その他、入学試験、入社試験、昇進試験、学校での成績評価、企業での人事考課など、相対評価して人選するのも広い意味でこの考え方に立っています。そのために、自分の周りの人はみな自分のライバルのように見えてくるのです。私たちは、このようなゲームに慣れていますので、日常生活のすべてのことをそのようなルールで考えてしまいがちです。

わたしたちは人間関係のいろいろな局面で「囚人のジレンマ」を感じながら、勝ち負けにこだわった生き方をしています。その結果、「勝ち負け」「勝負ありなし」という二分法の基準でものごとを判断することを当然のことのように受け入れています。

ところが、勝つのが難しいことがわかっているものですから、「勝たなくても負けない」という（屈折した）生き方を選択することになるのです。これだけでは自分の生き方として何か足りないということで、さらに「他人に迷惑をかけない」という新しい基準を追加することになります。そして、この2つのルールで、人は自分の人生の体面を保とうとするのです。

「人をさしおいて自分が勝とうとするわけではない」「他人に迷惑をかけない」。このような生き方のどこが悪いのだ、他人からとやかく言われる筋合いはない、と反論されれば、「悪いところはありません。ご立派です」と答えざるをえないでしょう。

しかし、間違ってはいなくても、どこかおかしいのです。何かが足りないのです。

人と競争したり、比較する時、私たちは「勝った時に感じるのが優越感（相手の尊厳を傷つける）、負けた時に感じるのが劣等感（自己の尊厳を傷つける）」ということを見てきました。これらは建設的感情ではありません。

それでは「引き分け」になった時、どのように感じるでしょうか。「勝たなくてよかった」とは決して思いません。「負けなくて良かった」と思って「ほっと」するのです。この背景には劣等感があるのです。

「負けなければよい」という生き方は、皆で負け戦をしているようなものです。

一方が勝てば他方が負ける（Win－Lose）、というのがゼロサムゲームであるとすれば、「両方とも勝つ＝Win－Win」という非ゼロサムゲームだってあるはずです。「囚人のジレンマ」の例では、もう一つの選択肢がありました。黙秘することです。相手を信じて黙秘する道です。

「マイナスにさえならなければ」という生き方は、決して「プラスにならない」ということを肝に銘ずる必要があります。そして、自尊心の高い生き方を選ぶのです。

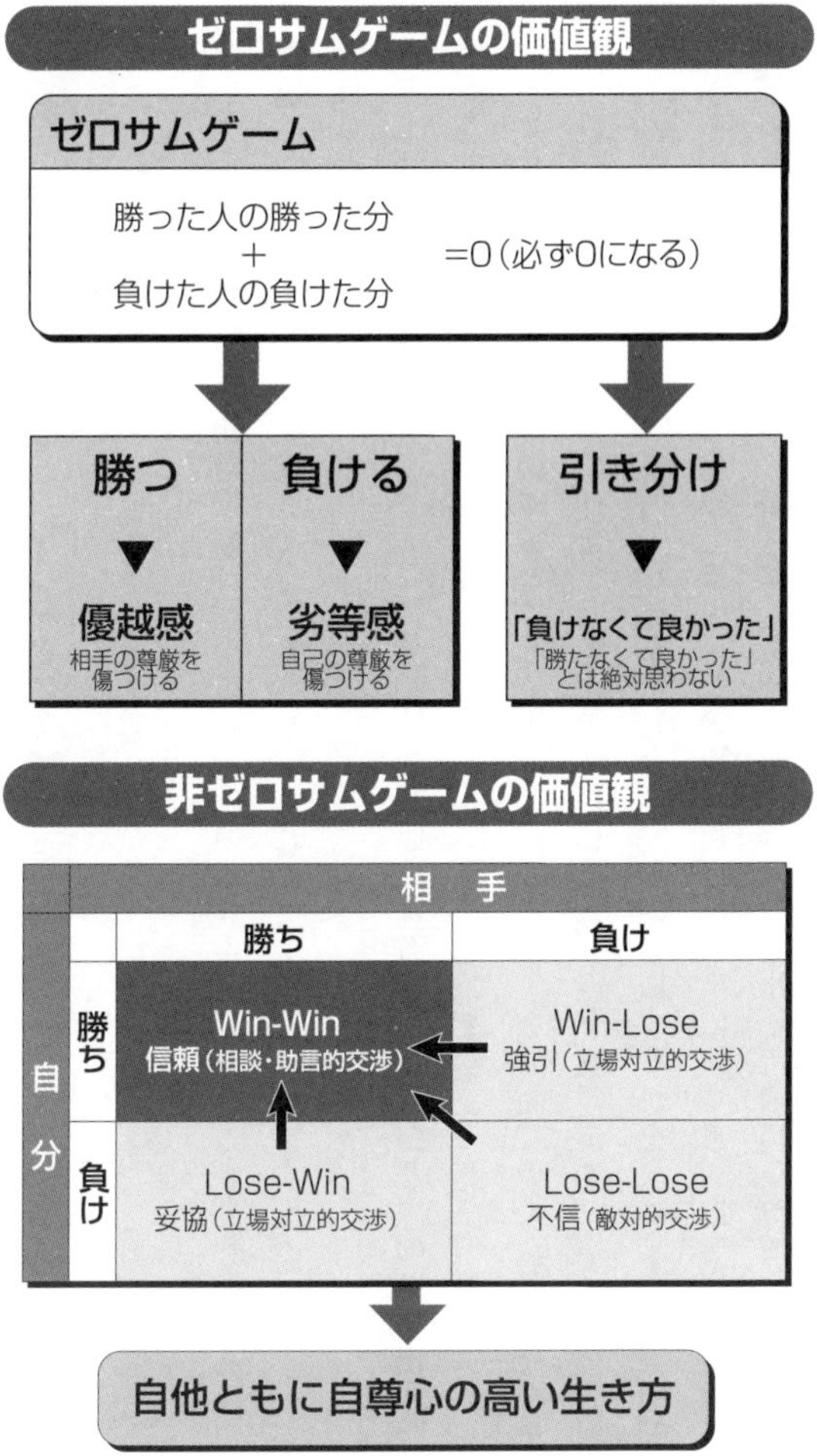
ゼロサムゲームの価値観
ゼロサムゲーム
勝った人の勝った分
＋
負けた人の負けた分
=0（必ず0になる）
勝つ
優越感
相手の尊厳を傷つける
負ける
劣等感
自己の尊厳を傷つける
引き分け
「負けなくて良かった」
「勝たなくて良かった」とは絶対思わない
非ゼロサムゲームの価値観
相手
勝ち
負け
自分
勝ち
負け
Win-Win
信頼（相談・助言的交渉）
Win-Lose
強引（立場対立的交渉）
Lose-Win
妥協（立場対立的交渉）
Lose-Lose
不信（敵対的交渉）
自他ともに自尊心の高い生き方

8-3 Win-Winの生き方

メンタルマネジメント能力を高め、自尊心の高い「共生」の生き方が理想的であることに異論はないでしょう。そのことを自覚させてくれるゲームがあります。「白黒ゲーム」といわれるものです。

ルールは簡単です。2つのチームに分かれ、お互いに碁石のような白と黒の石を出し合って、得点を競います。それぞれの得点は図のようになっています。

インストラクターが「目的は勝つことです」と言います。3分間でチームの意見をまとめて、石を出し合います。これを5～10回繰り返して総得点を競います。

ゲームが始まると、チーム内で意見を出し合ってどの石にするかを決めますが、最初は白と黒を出して勝ち負けを経験します。そのうち負けない手に気づき、白を出し続けます。すると相手も白を出すため、負けはしませんが得点は結局マイナスになってしまいます。

ゲームが終わったところで、インストラクターが「私は相手に勝つとは言いませんでし

白黒ゲーム

2つのチームでお互いに碁石のような白と黒の石を出しあう。
ゲームの目的は「勝つこと」。

①ゲームの得点は、相手のチームが出す石との組みあわせで下表のようになる。

②セッション1回ごとの議論の時間は3分とし、トータルで5回～10回試みる。

	パターンⅠ		パターンⅡ		パターンⅢ		パターンⅣ	
チームA	白	+1	白	−1	黒	−1	黒	+1
チームB	黒	−1	白	−1	白	+1	黒	+1

た。でも、皆さんは相手に勝つことしか頭にありませんでしたね」と言ってお互いに反省するように促すわけです。その時に、メンバーはハッとこのゲームの目的に気づきます。そして、お互いに黒の石を出すことによってプラスの得点がつくという道があったが、相手に負けないためにそれを選択しなかったことを話し合います。

私たちは、無意識のうちに相手に勝つという「Win−Lose」の生き方を選択していますが、それは自ら「囚人のゲーム」を演じているようなものです。私たちに必要なのは、黒の石を出し続ける「Win−Win」の道です。

8-4 ローカス・オブ・コントロール

「自分を知り、他人を知り、目標を持って粘り強く生きる」。これがＥＱ人間のモデルです。これはローカス・オブ・コントロール（コントロールの中心）が自分の中にあるという意味で、「自律人間」といえましょう。

人が自分および環境をどの程度コントロールできるか、信じる度合いによって「自律人間」および「他律人間」に分けられます。

「自律人間」は、自分の行動によって周りの世界を左右する能力が備わっていると信じています。そのために自分で意志決定して行動を起こします。他人の意見は聞きますが、決定するのはその人自身です。

他方の極には「他律人間」がいます。この種の人は、自分にはものごとを左右したり、変えるだけの力がないと信じています。そのため、環境のなすがままになり、自分で意志決定しようとしません。他人の言いなりになる人生を送るため、ローカス・オブ・コント

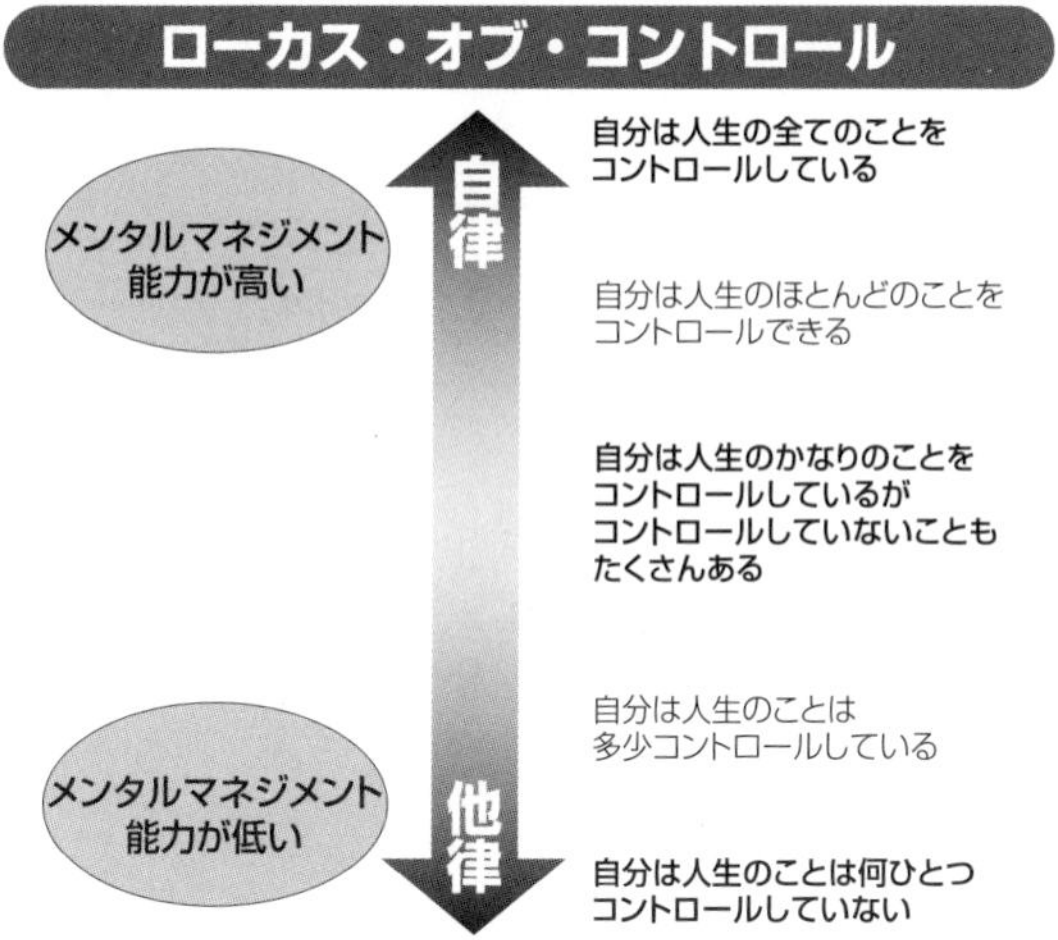
ローカス・オブ・コントロール
自律
他律
メンタルマネジメント能力が高い
メンタルマネジメント能力が低い
自分は人生の全てのことをコントロールしている
自分は人生のほとんどのことをコントロールできる
自分は人生のかなりのことをコントロールしているがコントロールしていないこともたくさんある
自分は人生のことは多少コントロールしている
自分は人生のことは何ひとつコントロールしていない

ロールは自分の外にあることになります。「真実は中間にあり」で、実際にはこのような両極端に位置する人は少なく、この2つの極の間のどこかに位置することになります。

メンタルマネジメント能力の高い人間は自律の極に近いところにあり、「自分の人生は自分でコントロールできる」と信じています。一方、その反対の極に近ければ近いほど、自分の人生はままならず、コントロールすることなどできないと思っています。そのため、他人の管理下で生きることになるのです。

ここまでの動機づけをベースにしたコーチングと、ゲーム理論のテクニックを使うことによって、よりスムーズなリーダーシップを発揮していけるでしょう。

■参考文献

『EQ　こころの知能指数』　ダニエル・ゴールマン著／土屋京子訳（講談社）
『EQリーダーシップ』　ダニエル・ゴールマン他著／土屋京子訳（日本経済新聞社）
『EQその潜在力の伸ばし方』　内山喜久雄著（講談社）
『EQ入門』　町澤静夫著（WAVE出版）
『オプティミストはなぜ成功するか』　マーチン.E.P.セリグマン著／山村宜子訳（講談社）
『楽観主義者は成功する』　山口　彰著（日新報道出版部）
『望めば、叶う』　ルー・タイス著／吉田利子訳（日経BP社）
『人間であること』　時実利彦著（岩波新書）
『脳の話』　時実利彦著（岩波新書）
『自分に自信をもて！』　マクスウェル・マルツ著／竹内　均訳（三笠書房）
『クリティカルシンキング』　E.B.ゼックミスタ＋J.E.ジョンソン著／宮本博章＋道田泰司＋谷口高士＋菊池　聡訳（北大路書房）
『通勤大学MBA3　クリティカルシンキング』　グローバルタスクフォース著（総合法令出版）
『キャリアショック』　高橋俊介著（東洋経済新報社）
『可能性を拓く心の法則』　織田善行著（ビジネス教育出版社）
『コーチングの理論と実践』　織田善行著（ディ・エフ・エイチ）
『岩波心理学小辞典』　宮城音弥著（岩波書店）
『社会心理学小辞典』　古畑和孝＋岡　隆編集（有斐閣）
『ビジネスEQ』　ダニエル・ゴールマン著／梅津祐良訳（東洋経済新報社）
『The Emotional Intelligent Workplace』　Cary Cherniss and Daniel Goleman and Warren Bennis（Jossey-Bass）

■監修者紹介
織田善行（おだ よしゆき）

1940年生まれ。東京大学文学部社会科学科卒業。国内外の大手生命保険会社二社で人事部長、常務取締役を経て、現在、自己実現のコーチング企業として、世界で最も高い評価を受けている教育研究機関TPI-Japan.INC.代表取締役社長。NHKセンター、各地ロータリークラブ、公官庁などで活発に講演も行う。著書に『可能性を拓く心の法則』（ビジネス教育出版社）などがある。

http://www.tpi-japan.co.jp

■著者紹介
グローバルタスクフォース株式会社

世界18カ国の主要ビジネススクール57校が共同で運営する公式ＭＢＡ同窓組織「Global Workplace」（本部：ロンドン）を母体とする常駐型経営支援ファーム。日本では、雇用の代替としての非雇用型人材支援サービス「エグゼクティブスワット」を世界に先駆けて展開し、多くのプロジェクト実績を持つ。組織を越えた人脈をつくる機会の提供や、ＷＥＢサイト「日経Biz C.E.O.」を日経グループと共同で運営している。著書に「通勤大学ＭＢＡ」および「通勤大学実践ＭＢＡ」シリーズ、『あらすじで読む世界のビジネス名著』『ポーター教授「競争の戦略」入門』『コトラー教授「マーケティング・マネジメント」入門（Ⅰ・Ⅱ）』『ＭＢＡ 世界最強の戦略思考』『思考武装』『論理的思考法で営業力を鍛える』『就活の鉄則』（いずれも総合法令出版）、『図解 わかる！ＭＢＡマーケティング』（ＰＨＰ研究所）など多数ある。URL：http://www.global-taskforce.net

通勤大学文庫
通勤大学MBA12　メンタルマネジメント

2004年4月 8日　初版発行
2008年1月31日　5刷発行

著　者　グローバルタスクフォース株式会社
装　幀　倉田明典
イラスト　田代卓事務所
発行者　仁部　亨
発行所　総合法令出版株式会社
〒107-0052　東京都港区赤坂1-9-15
日本自転車会館2号館7階
電話　03-3584-9821
振替　00140-0-69059
印刷・製本　祥文社印刷株式会社
ISBN978-4-89346-842-0

総合法令出版ホームページ　http://www.horei.com